SEGREDOS DO
IMPÉRIO ROMANO

CONHEÇA NOSSOS LIVROS
ACESSANDO AQUI!

Copyright © 2016 por Walter Fernandes

Direitos reservados e protegidos pela lei 9.610 de 19.2.1998.
Nenhuma parte deste livro pode ser reproduzida, arquivada em sistema de busca ou transmitida por qualquer meio, seja ele eletrônico, xérox, gravação ou outros, sem prévia autorização do detentor dos direitos, e não pode circular encadernada ou encapada de maneira distinta daquela em que foi publicada, ou sem que as mesmas condições sejam impostas aos compradores subsequentes.
1ª Impressão 2022

Presidente: Paulo Roberto Houch
MTB 0083982/SP

Coordenação Editorial: Priscilla Sipans
Coordenação de Arte: Rubens Martim
Produção Editorial: Ana Vasconcelos (ECO Editorial)
Diagramação: Patrícia Andrioli
Imagens: Shutterstock (página 67 - Shutterstock/Viacheslav Lopatin)

Impresso no Brasil.
Foi feito o depósito legal.

Dados Internacionais de Catalogação na Publicação (CIP) de acordo com ISBD

C181s	Camelot Editora
	Os Segredos do Império Romano / Camelot Editora. - Barueri : Camelot Editora, 2022.
	144 p. ; 23cm x 15,5cm.
	ISBN: 978-65-80921-33-1
	1. História. 2. Império Romano. I. Título.
2022-568	CDD 937.06
	CDU 94(37)

Elaborado por Vagner Rodolfo da Silva - CRB-8/9410

Direitos reservados ao
IBC – Instituto Brasileiro de Cultura LTDA
CNPJ 04.207.648/0001-94
Avenida Juruá, 762 – Alphaville Industrial
CEP. 06455-010 – Barueri/SP
Vendas: Tel.: (11) 3393-7727 (comercial2@editoraonline.com.br)
www.editoraonline.com.br

Sumário

Apresentação 5

CAPÍTULO 1 - De vilarejo a uma potência 7

CAPÍTULO 2 - A Roma republicana 15

CAPÍTULO 3 - Guerras e avanço territorial 23

CAPÍTULO 4 - O fim da era republicana 32

CAPÍTULO 5 - A ascensão do Império Romano 43

CAPÍTULO 6 - Crueldade e insanidade no trono 53

CAPÍTULO 7 - Pão e Circo: solução para um império desigual. .. 66

CAPÍTULO 8 - Uma economia imperial 76

CAPÍTULO 9 - O jeito romano de ser 92

CAPÍTULO 10 - Influências grega e estrusca em cena 105

CAPÍTULO 11 - Um povo de fé 113

CAPÍTULO 12 - A decadência do Império 123

CAPÍTULO 13 - A herança romana 137

TODOS OS CAMINHOS LEVAM A ROMA!

Podemos começar a lista de legados pela nossa língua, o português, que é derivada do latim, a língua que era escrita e falada em Roma. Seguimos pelos algarismos romanos, representados por sete das letras do alfabeto, que também conhecemos. O Direito influenciou e deu origem a códigos jurídicos, adotados em sociedades ocidentais. Nas artes, os romanos foram influenciados pelos gregos, e foram mestres na reprodução da figura humana. Em Florença, o Renascimento foi um dos períodos mais ricos de toda a história da arte, com mestres como Leonardo Da Vinci, Michelangelo e Botticelli encantando a humanidade.

Os caminhos do Império Romano, na política, economia, artes, cultura, arquitetura, religião e muito mais, você encontra aqui neste livro. E por falar em "caminhos", a expressão "todos os caminhos levam a Roma" remete ao século I, quando o Império Romano se estendia da Bretanha à Pérsia (hoje, da Inglaterra ao Irã), e chegou a incríveis 80 mil quilômetros de estradas, constituindo-se importantes meios de comunicação, por onde mensageiros levavam ordens ao longo do império.

Mergulhe na riqueza, na história, nas conquistas e nos segredos do Império Romano.

1

DE VILAREJO A UMA POTÊNCIA

O SURGIMENTO DE ROMA, NO CENTRO DA ITÁLIA, DATA DO SÉCULO VIII A.C., PERÍODO EM QUE O FUTURO IMPÉRIO ERA APENAS UM PEQUENO AGRUPAMENTO DE POVOS DIVERSOS

Em geral, os historiadores modernos dão como certo o surgimento da cidade de Roma, durante o século VIII a.C., como um vilarejo no centro da Itália. Aquelas terras na península itálica já eram ocupadas desde o primeiro milênio antes de Cristo por diversos povos. Essas populações se aproveitavam do solo fértil e clima bastante ameno da região. Entre elas, estavam tribos úmbrias, sabinas e latinas, que instituíram aldeias agrícolas e pastoris.

Especialistas ressaltam que Roma tem início por meio da junção de um grupo de sete aldeias latinas e sabinas, todas elas situadas às margens do rio Tibre. Tais povos tiveram uma relação bastante estreita com os gregos – fundadores de colônias localizadas ao sul daquela península – e com os etruscos, estabelecidos ao norte.

ANCESTRAIS

Segundo o historiador e professor da Universidade Harvard, Thomas R. Martin, as principais evidências dos ancestrais imediatos dos romanos vêm da escavação arqueológica de túmulos – datados dos séculos IX e VIII a.C. – dos povos chamados posteriormente de villanovianos.

Contudo, não há quaisquer razões para se acreditar que essas populações, que habitavam em comunidades diferentes, se classificavam como um grupo unificado ou então homogêneo. Por outro lado, os estudos destacam claramente que essas pessoas realizavam atividades rudimentares de agricultura e também de criação de cavalos.

GREGOS

No oitavo século antes de Cristo, os romanos e os demais povos do sul e do centro da Itália já realizavam contato frequente com muitos comerciantes provenientes da Grécia que viajavam para o território italiano pelo mar. Tal intercâmbio econômico contribuiu substancialmente para o crescimento da sociedade e cultura romanas.

Uma quantidade considerável de gregos fixou residência na região neste mesmo período atrás de oportunidades de enriquecer por meio da agricultura. Assim, algumas cidades povoadas majoritariamente por cidadãos da Grécia tornaram-se, anos mais tarde, comunidades extremamente representativas. Alguns exemplos são Sicília e Nápoles.

A aproximação com a cultura grega gerou um efeito no desenvolvimento do modo de vida dos romanos, que foram inspirados pelos modelos de literatura, teatro e também arquitetura. Porém, se por um lado a Grécia influenciou e foi alvo da constante admiração dos habitantes de Roma, por outro, era menosprezada devido à sua desunião política e inferioridade militar.

ETRUSCOS

Há muito debate com relação à influência dos etruscos na vida romana. Alguns grupos de estudiosos consideram que este povo, instalado ao norte de Roma, teria sido a força externa mais relevante a afetar os modos

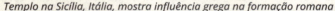

Templo na Sicília, Itália, mostra influência grega na formação romana

DE VILAREJO A UMA POTÊNCIA

Busto de Heródoto: historiador acreditava que etruscos eram provenientes de Lídia, na Anatólia

Os arqueólogos dão conta de que o povo etrusco tinha o costume de enterrar seus mortos em tumbas subterrâneas construídas na forma de réplicas – em escala menor – das casas onde moravam quando vivos. Eles revestiam a parte interior da residência com pinturas que retratavam episódios mitológicos e do cotidiano. As famílias desta população também adornavam os locais de sepultamento com objetos pessoais e de decoração. O objetivo era o de sempre reproduzir nas tumbas o conforto da vida real.

romanos. Alguns especialistas até já especularam que eles teriam conquistado a Roma Antiga, com reis etruscos governando a nova cidade na parte final da monarquia.

No entanto, o próprio conhecimento da origem dos homens e mulheres da Etrúria continua extremamente limitado. Em parte porque os historiadores compreendem somente uma pequena parcela de seu idioma, que provavelmente não seja indo-europeu.

No século V a.C., o historiador Heródoto afirmava que os etruscos haviam emigrado de Lídia, na Anatólia, para a região onde hoje está a Itália. No entanto, Dionísio de Halicarnasso rechaçou a hipótese dizendo que o território italiano sempre foi a verdadeira casa desta população.

De qualquer maneira, sabe-se hoje que os etruscos não formavam um país unificado étnica ou politicamente. Eles moravam em incontáveis cidades independentes agrupadas nas colinas da região da Itália central.

Culturalmente, executavam peças de arte consideradas muito refinadas para a época, como joias e também esculturas. Porém, eles despendiam bastante dinheiro na importação de objetos luxuosos da região do Mediterrâneo, sobretudo dos gregos. Os etruscos, aliás, nutriam uma relação próxima com os habitantes da Grécia na época e adequaram aquela cultura à sua. Um exemplo são os famosos vasos gregos, encontrados intactos em túmulos etruscos.

> Os trabalhos arqueológicos mostram que os ancestrais romanos fabricavam armas de metal, além de outros objetos de bronze e ferro. Como o bronze é, basicamente, uma mistura de cobre e latão, e como o latão só era minerado em locais bem distantes da Itália, essas populações praticavam, muito provavelmente, um sofisticado comércio de longa distância.

MONARQUIA

A configuração inicial de governo dos romanos foi a monarquia. Basicamente, o rei era escolhido pelo Senado, formado por uma espécie de conselho de anciãos de origem nobre e de chefes de famílias aristocráticas. O monarca exercia funções judiciárias, administrativas, legislativas, militares e, até mesmo, religiosas. No entanto, para tomar decisões consideradas mais relevantes, o rei fazia uma consulta junto aos senadores.

Os historiadores destacam que neste período de dois séculos e meio de história sete reis administraram Roma – sendo Rômulo o pioneiro. Destes, os quatro primeiros eram sabinos e latinos, enquanto os três últimos eram de origem etrusca.

DESENVOLVIMENTO

De maneira geral, esse grupo de monarcas foi responsável pelo desenvolvimento urbano e fortalecimento romano. Pouco a pouco, Roma se tornou uma povoação maior e mais capaz de se proteger de possíveis ataques por meio da adoção de uma estratégia focada em duas frentes: a absorção de outros povos e o acerto de alianças com sociedades vizinhas para a criação de uma cooperação militar.

O tempo provou que essa tática acabou sendo a mais correta, pois foi a responsável por formar a base de expansão romana de longo prazo. A incorporação de estrangeiros era praticamente uma necessidade de sobrevivência para uma comunidade como Roma, que teve um nascimento tão frágil e pequeno.

Além disso, a estratégia foi uma inovação no mundo antigo. Nem mesmo os gregos ou quaisquer outros grupos da época implementaram uma política parecida. A realidade é que os estados da Grécia Antiga quase nunca permitiam que um membro de fora se tornasse cidadão. O mundo grego empregava o advento da cidadania apenas como um jeito de homenagear um estrangeiro rico que tivesse beneficiado a comunidade e que não tivesse a necessidade ou a intenção de se tornar cidadão comum.

Assim, a nova e exclusiva política romana de receber estrangeiros de braços abertos com o intuito de elevar o número de cidadãos foi o segredo para se transformar no Estado mais poderoso que o planeta já viu.

A ação era tão essencial que o governo de Roma oferecia até mesmo aos escravos a chance de mobilidade social ascendente. Os nobres romanos tinham escravos como suas propriedades, da mesma forma como ocorria em todas as outras sociedades antigas. Na época, os servos eram considerados apenas um bem e não seres humanos. Eles passaram a ter a oportunidade de ganharem o direito da cidadania após o período de liberdade. Alguém virava escravo ao ser capturado na guerra, vendido no mercado internacional por invasores que o haviam sequestrado ou por nascer de uma mãe escrava. Este servo poderia comprar a sua liberdade com ganhos que o mestre permitia que juntasse para incentivar o trabalho mais intenso ou podia ainda receber a liberdade como presente no testamento do proprietário.

Vale ressaltar que o escravo liberto tinha suas obrigações legais com o ex-proprietário na forma de cliente. Em contrapartida, homens e mulheres libertos, como era a designação oficial, tinham direitos civis completos, como o casamento legal. Mesmo não podendo ser eleitos a cargos políticos nem servir no exército, seus filhos se tornavam cidadãos de Roma com direitos integrais.

Como em outros tantos casos, havia uma lenda que fornecia uma origem antiga desta política bastante incomum de inclusão de estrangeiros. Rômulo, de acordo com a história, teria percebido que Roma, depois da fundação, não reunia condições de crescer ou se preservar, pois não tinha mulheres suficientes para darem à luz crianças necessárias para elevar o seu número de habitantes. Dessa maneira, ele teria enviado representantes às sociedades vizinhas para pedir o direito de que seus homens, sem importar a classe social, pudessem casar com as mulheres de qualquer comunidade próxima. Rômulo instruía os mensageiros a dizer que, apesar de a comunidade de Roma ser pequena naquele momento, os deuses tinham concedido a ela um futuro bastante próspero.

No entanto, todos os povos ao redor teriam recusado a solicitação de alianças matrimoniais. Sem saída, o rei decidiu preparar um plano bastante arriscado. Ele mandaria sequestrar mulheres. Para tanto, convidou o povo sabino para uma festa religiosa em Roma e raptou todas as moças solteiras.

O episódio gerou uma batalha sangrenta entre as duas comunidades vizinhas. Porém, em meio à guerra, as noivas sabinas teriam se precipitado contra os combatentes, fazendo com que a luta fosse interrompida. Foi então que as novas esposas dos romanos imploraram aos dois grupos que parassem de se digladiar e fizessem as pazes. Caso contrário, poderiam matá-las ali mesmo. Diante da súplica, romanos e sabinos cessaram a batalha e combinaram as duas populações em um Estado romano ampliado.

A lenda consegue explicar, por meio do papel das mulheres neste incidente específico, como a imigração e a assimilação de outros povos formaram a base de poder na Roma Antiga. A história ainda destaca o ideal romano tradicional da mulher sendo a mãe dos cidadãos romanos, disposta, inclusive, a se sacrificar corajosamente pela sobrevivência daquela sua comunidade.

EXPANSÃO

A política que visava absorver os estrangeiros teve um efeito tão grande que a população romana cresceu consideravelmente em dois séculos. Nesse período, o território já ocupava cerca de 780 quilômetros quadrados do Lácio, terras agrícolas suficientes para sustentar até 40 mil famílias.

Provavelmente por meio dos serviços especializados de engenheiros etruscos, os romanos drenaram, no século VI a.C., a seção aberta no sopé dos montes Palatino e Capitolino, que antes era pantanosa, para ser o centro da cidade. O espaço recém-criado, chamado de Fórum Romano, permaneceu sendo a seção mais histórica e simbólica de Roma por mil anos.

A construção dele como um local de reunião para assuntos políticos, jurídicos e comerciais, além de funerais públicos e festivais, ocorreu quase ao mesmo tempo em que os atenienses criaram a ágora na Grécia para servir de centro público aberto. Isso demonstra os desenvolvimentos culturais comuns que aconteciam na região do Mediterrâneo na época.

No decorrer dos anos, foram erguidas novas e grandes construções no entorno do Fórum. Essas edificações eram usadas para encontros entre autoridades, realização de julgamentos e funções administrativas do governo.

REIS

A figura do rei nutria uma forte valorização na Roma Antiga. Os monarcas eram reconhecidos como célebres fundadores de tradições duradouras. Um exemplo é Numa Pompílio, o segundo a assumir o trono (governou de 715 a.C. até 673 a.C.), que ganhou fama pelo estabelecimento dos rituais religiosos públicos e sacerdócios que veneravam os deuses para pedir suporte a Roma.

Túlio Hostílio foi o sucessor de Numa Pompílio e governou entre os anos de 673 a.C. e 641 a.C. Ele ganhou mais notoriedade por conta de suas guerras com Alba Longa, Fidene e Veios, que se notabilizaram como as primeiras conquistas de território latino e a primeira expansão dos domínios fora dos muros de Roma.

Anco Márcio assumiu o reinado de Roma após a morte de Túlio Hostílio e permaneceu no comando por 25 anos. Conhecido por ter alcançado uma administração tranquila, foi o último rei de origem sabina. Estruturou a cidade com a construção de aquedutos, fundou o porto de Óstia e ergueu a primeira ponte de madeira sobre o rio Tibre.

Depois da morte de Anco Márcio, Tarquínio Prisco foi até a Comitia Curiata – a assembleia popular – e conseguiu convencer seus integrantes de que ele devia ser eleito rei no lugar dos filhos do falecido monarca, pois estes ainda eram apenas adolescentes. Dessa forma, Tarquínio sucedeu Anco Márcio. Ele assumiu o trono em 616 a.C. e nele continuou até 578 a.C, quando teria sido morto em um complô promovido pelos três filhos de Anco Márcio.

DE VILAREJO A UMA POTÊNCIA

O fórum romano era o espaço para reuniões políticas, jurídicas e comerciais na Roma Antiga

Hoje, o Fórum Romano apresenta uma aglomeração de ruínas de séculos da história. Pouco ou quase nada restou da arquitetura daquela época. Mesmo assim, um passeio pelo local coloca o turista em um ambiente revestido pelos áureos momentos de Roma.

Sérvio Túlio, também etrusco, era genro de Tarquínio Prisco e assumiu o poder por influência de sua sogra, Tanaquil. Ele governou entre 578 a.C. e 535 a.C. Ficou famoso pela criação de instituições básicas para organizar os cidadãos romanos em grupos para fins políticos e militares, além de instaurar com bastante sucesso a prática de concessão de cidadania a escravos libertos.

O sétimo e último rei romano antes da instauração da república foi Tarquínio, o Soberbo. Ele chegou ao trono em 535 a.C. e o deixou em 509 a.C., quando uma série de eventos culminou em sua deposição e no encerramento do primeiro período monárquico em Roma.

ESTRUTURA SOCIAL

Grande parte dos romanos acreditava mesmo que a região tomou forma de comunidade no século VIII a.C., quando esteve sob domínio de reis. Este teria sido o primeiro período monárquico de Roma. Entretanto, os historiadores modernos concluem que pouco se sabe sobre os eventos do período formativo da história local.

Mesmo assim, as lendas que rondam a monarquia da época demonstram a existência de ideias relevantes que os cidadãos romanos tinham sobre suas origens. Tais linhas de pensamento auxiliam na compreensão da estrutura da política e também da sociedade já nos tempos posteriores de República, sistema que surgiu na parte final do século VI a.C. assim que a monarquia foi derrubada. Um fato curioso é que os romanos, pelo resto de sua história, referiram-se ao governo como republicano, mesmo depois da restauração da monarquia no Império.

O termo técnico romano para a comunidade política como um todo era "povo romano" (populus Romanus), mas na realidade essa definição não sugeria propriamente um ambiente de democracia. A realidade é que a classe dominante quase sempre tinha as rédeas do governo local. Assim como na sociedade contemporânea mundial, algumas poucas famílias possuíam os comandos político e econômico dentro do cenário romano.

Dessa maneira, os plebeus, maior parcela da população – composta por artesãos, comerciantes e camponeses – viviam em condições sociais pouco confortáveis. Os clientes, pessoas livres e pobres, dependiam das famílias patrícias, para as quais prestavam regularmente favores, serviços e davam apoio político e militar. Em troca, recebiam ajuda econômica e proteção. Quanto mais clientes um patrício tivesse sob a sua proteção, mais importância política e social ele conquistava. Por fim, os escravos, em geral prisioneiros de guerra ou endividados, compunham uma parcela da população não muito numerosa no período monárquico.

> Reza a lenda que o rei Túlio Hostílio, terceiro monarca de Roma, morreu atingido por um raio como punição por seu orgulho.

2

A ROMA REPUBLICANA

A OPOSIÇÃO DA ARISTOCRACIA FEZ FRACASSAR O PERÍODO MONÁRQUICO NO TERRITÓRIO ROMANO E ABRIU CAMINHO PARA UMA NOVA FORMA DE GOVERNO

Tudo indicava que eram bons os ventos que sopravam sobre a monarquia de Roma. Era praticamente um consenso que Sérvio Túlio – governante entre os anos de 578 a.C. e 535 a.C. – havia criado bases sólidas para organizar os cidadãos romanos em grupos para fins políticos e militares. A ideia de conceder cidadania a escravos libertos também parecia ser um passo importante para a consolidação do regime.

Contudo, os monarcas passaram a ter o domínio ameaçado pelas classes mais abastadas. Essa oposição direta imprimiu forte pressão, pois as famílias ricas se consideravam equivalentes sociais do rei e, portanto, requeriam mais status e poder em suas mãos. O apoio que pessoas comuns davam ao monarca também as incomodava profundamente.

Essa guerra fria colocava os reis em posição de insegurança absoluta, pois havia o medo de que um integrante mais poderoso da alta classe recorresse à violência para tomar o trono. Em busca de um apoio contra tais pessoas, os monarcas costumavam ter como importantes aliados cidadãos donos de riqueza suficiente para lhes abastecer com armas, mas que não reuniam dinheiro para fazer parte da classe alta.

Mesmo com essa salvaguarda, alguns dos mais ricos romanos conseguiram, em 509 a.C., depor o rei Tarquínio, o Soberbo. Ele perdeu o trono por conta de um episódio envolvendo Lucrécia. Essa peculiar integrante da classe alta de Roma teria sido estuprada pelo filho do rei após ser ameaçada com uma faca. Apesar de o marido e seu pai terem pedido a ela que

Pintura do espanhol Eduardo Rosales retrata o suicídio de Lucrécia, que culminou na queda da monarquia e na instituição do período republicano em Roma

não se culpasse pelo incidente, Lucrécia cometeu suicídio. Antes de morrer, no entanto, ela solicitou aos familiares que a vingassem.

A deposição de Tarquínio foi liderada por Lúcio Júnio Brutus, que alcançou êxito na missão ao se unir a homens autointitulados libertadores. A aliança entre esses integrantes da classe alta foi suficiente para a abolição da monarquia romana.

Após o episódio, ficou estabelecida a República Romana. A justificativa para a entrada do novo regime era que o governo capitaneado por um único homem, como era o caso da monarquia, levava a terríveis abusos de poder, como o estupro de Lucrécia.

O termo "República" é originado do latim *res publica*, que significa "a coisa do povo", "o assunto do povo" ou "comunidade". Esse era o ideal do governo romano: ser para a comunidade. Porém, esse conceito nunca foi colocado completamente em prática, pois a classe alta dominou o governo e a sociedade nesse período.

REPÚBLICA DOS CARGOS

O período republicano em Roma ficou marcado pelo surgimento de inúmeros postos políticos. Tais cargos visavam satisfazer os anseios da elite patrícia em participar ativamente do governo. Essa situação foi o estopim para o aparecimento de conflitos sociais diversos na época.

A presença de membros da classe alta nos postos mais importantes e nas decisões políticas de Roma promoveu uma disputa acirrada entre estes e os plebeus mais abastados, que eram os encarregados de exercerem atividades econômicas e militares.

Mas as fontes de conflito entre patrícios e plebeus no início da República eram também econômicas. Os plebeus pobres eram os mais desesperados por alívio das políticas dos patrícios no período. Com o aumento populacional, essa fatia da população precisava de mais terra para cultivar e se alimentar. Os integrantes da elite, no entanto, dominavam a maior parte das propriedades e ainda faziam empréstimos aos pobres.

Com a falta de terra para plantio e os altos juros de suas dívidas, muitos plebeus chegaram ao ponto de saírem do limite sagrado da cidade para um povoado temporário em uma colina que ficava nas proximidades. Além disso, os plebeus se recusaram a servir no exército da milícia de cidadãos. A secessão funcionou. A defesa romana ficou bastante prejudicada, pois não contava com um exército permanente profissional. Essa situação fez com que os patrícios precisassem ceder, algo que eles, naturalmente, não gostavam nem um pouco. Assim, tiveram que costurar um acordo com os plebeus.

DIREITO ROMANO

De acordo com a tradição local, o acerto entre as duas partes foi o que levou à criação das primeiras leis escritas em Roma. O código legal passou a vigorar depois da visita de uma delegação romana a Atenas, onde foi estudado como a cidade grega desenvolveu um código de direito escrito. Apesar dessa pesquisa, foi necessário um tempo grande para que as duas ordens romanas atingissem o acordo final sobre as leis. Isso porque o pacto precisaria, por um lado, proteger os plebeus e, por outro, garantir o status dos patrícios.

A Lei das Doze Tábuas, o código escrito mais antigo do direito romano, foi promulgado entre os anos de 451 e 449 a.C. Apesar de gerar avanços, os patrícios aproveitaram a ocasião para incluir a abolição do matrimônio com plebeus. Contudo, era muito importante à classe plebeia ter um código de leis escrito com o intuito de evitar que os magistrados patrícios, que julgavam a maioria das ações legais, tivessem decisões arbitrárias e injustas apenas por causa de interesses pessoais.

De modo geral, a Lei das Doze Tábuas trazia questões muito práticas e simples, como "Se alguém for chamado a juízo, compareça" ou "Se uma árvore se inclina sobre o terreno do vizinho, que os seus galhos sejam podados à altura de mais de quinze pés". Esse conjunto de regras mostrava que o romano tinha um intenso interesse pelo direito civil. Já o código penal nunca chegou a ser extenso. Dessa forma, os tribunais não tinham um conjunto vasto de regras para orientar os vereditos.

SISTEMA POLÍTICO

A constituição romana incluía vários funcionários eleitos e o Senado como órgão especial. O posto de cônsul era o mais alto no período republicano. Como a República foi criada para evitar que apenas um homem tomasse o governo por um tempo indeterminado, o cônsul surgiu para que dois líderes do Estado fossem eleitos para prestar serviço em conjunto. O tempo de governo era de um ano e estava proibida a reeleição para mandatos consecutivos.

A palavra cônsul tinha o significado de "aquele que cuida da comunidade". Era uma forma de deixar claro que os detentores do posto deveriam agir em nome dos interesses de todos os romanos. As principais atribuições dos cônsules eram fornecer liderança sobre a orientação política e civil, além de comandar o exército em tempos de guerra. O embate para alcançar esse posto era intenso, pois ocupá-lo se tratava de uma maneira de elevar o prestígio familiar por um longo período. Algumas famílias com apenas um cônsul entre os seus ancestrais tinham o costume de se chamar de "nobres".

Já o Senado, que perdurou durante todos os séculos da história romana, pode ser considerado a instituição mais influente da "constituição romana". Importante lembrar que a casa datava da época monárquica e que mesmo os reis não tomavam decisões importantes sozinhos, uma vez que era uma tradição romana sempre pedir conselho a amigos e a idosos. Desse modo, os monarcas reuniram um grupo seleto de experientes conselheiros que eram chamados de senadores (palavra latina para idosos). Portanto, o costume de o líder tomar conselho sempre prosseguiu durante o período republicano.

Durante a maior parte da história, o Senado funcionava com cerca de 300 membros. O general Sulla dobrou esse número com o advento de uma profunda reforma em 81 a.C. Júlio César, por sua vez, subiu o montante para 900 com o objetivo de conseguir partidários durante a guerra civil da década de 40 a.C. Em 13 a.C., Augusto reduziu o contingente de senadores novamente para 600.

Segundo historiadores, o Senado sempre incluiu patrícios e plebeus da elite. O tempo encarregou-se de obrigar os candidatos a possuir uma quantia grande de propriedades para poder entrar na disputa ao posto de senador.

No início da República, os senadores eram escolhidos pelos cônsules entre os homens já eleitos anteriormente como magistrados menores. Tempos depois, a seleção passou a ser realizada pelos censores, que eram magistrados especiais de alto prestígio. Uma das maiores influências do Senado recaía sobre as decisões relativas à declaração e condução de guerras. Importante observar que, nesta época, Roma vivia em conflitos armados quase que continuamente.

Um aspecto relevante é que no período republicano o Senado não detinha o poder de votar projetos, ele apenas agia como conselheiro. Ou seja, não possuía o direito oficial de vetar ou liberar quaisquer decisões do governo executivo, mas sim um status de respeito e consideração em meio aos cidadãos romanos.

CARGOS

Obviamente, o posto de cônsul era tido como o mais importante em Roma. Na sequência, os demais cargos seguiam uma ordem de prestígio. Mas, para alcançar os lugares mais elevados, era necessário seguir um plano de carreira, que tinha início por volta dos 20 anos de idade, geralmente como assistente de oficial. A seguir, a escalada seguia tentando a eleição de menor valor, a de questor, que era responsável pela administração financeira do Estado. O cargo seguinte era o de edil, que carregava consigo a difícil tarefa de gerenciar a manutenção de ruas, esgotos, templos, mercados e demais obras públicas.

O passo seguinte dentro da hierarquia do poder romano era buscar a vitória na eleição para o cargo anual de pretor, magistratura muito prestigiosa e que só perdia em importância para a vaga de cônsul. Em geral, os pretores tinham como incumbência a administração da justiça e o comando de tropas de guerra.

Assim, o poder e o prestígio dessas posições as tornavam o centro da disputa entre patrícios e plebeus por postos públicos. Em 337 a.C., a pressão da classe plebeia forçou a aprovação de lei que abria todos os cargos de forma uniforme entre as duas ordens.

A "constituição romana" tinha ainda duas posições de governo especiais não anuais: censor e ditador. O primeiro, que deveria ser um ex-cônsul, cuidava da contagem periódica de cidadãos e de suas propriedades para que os impostos pudessem ser cobrados de uma maneira mais justa e os romanos classificados para o serviço militar. Já o cargo de ditador era ocupado somente em emergências nacionais graves, quando se tornava necessária a rápida tomada de decisões para garantir a boa saúde do Estado. Geralmente, a posse de um ditador significava que Roma havia sofrido uma perda militar muito grande e precisava de uma ação extremamente cirúrgica para que um desastre fosse evitado. O ditador tinha plenos poderes, suas decisões não poderiam ser questionadas, mas a sua permanência no posto era de, no máximo, seis meses.

FUNCIONÁRIOS ASSALARIADOS

A entrada na carreira pública, no entanto, estava longe de gerar lucros financeiros aos portadores dos cargos, que não recebiam salário por seu trabalho. Ao contrário, os funcionários, inclusive, gastavam parte do seu dinheiro ao exercerem tais atividades. Dessa forma, fica claro que somente aqueles homens que tinham condições financeiras privilegiadas podiam cumprir o funcionalismo público. Estes, normalmente, obtinham renda por meio de propriedades familiares ou suporte financeiro de amigos mais próximos.

Além disso, assim como nos dias de hoje, os custos de uma campanha eleitoral eram bastante exacerbados. Os candidatos, por vezes, desprendiam uma quantidade razoável de recursos e até contraíam dívidas enormes. Não bastasse isso, era desejável que, depois de eleito, um funcionário do governo pagasse, com seu dinheiro, obras públicas em estradas, templos e aquedutos.

Mas, se no início, a carreira pública conferia só status social, depois de um tempo a conquista de novos territórios ajudava muitos a ganharem dinheiro. Esses funcionários passaram a ter o direito legal de enriquecer ganhando presas de guerra quando exerciam os postos de comandantes em batalhas de conquistas vencidas. Outra forma de obter ganhos – ilicitamente – era pelo recebimento de propina enquanto administravam as províncias dos territórios conquistados pelos romanos.

ASSEMBLEIAS

As decisões em Roma eram tomadas por meio da votação em assembleias. Nesses eventos ao ar livre, eram definidos os resultados de pleitos e aprovadas novas leis. No entanto, os historiadores afirmam que tais ocasiões apresentavam um nível de complexidade muito grande. Os cidadãos – adultos e livres – se reuniam depois da convocação de um funcionário público.

Os debates ocorriam antes das assembleias em um grande agrupamento do qual qualquer um – mesmo não cidadãos e mulheres – podiam participar, mas somente cidadãos homens tinham o direito à palavra. Por outro lado, todos podiam expressar suas opiniões por meio de aplausos ou vaias para aquilo que era falado.

Entretanto, no início da assembleia em si, apenas poderiam ser votadas propostas feitas pelos funcionários públicos. Era momento também de solicitar emendas às propostas.

Nesta época, a cidade de Roma possuía três assembleias eleitorais diferentes: Assembleia das Centúrias, Assembleia Tribal dos Plebeus e Assembleia Tribal do Povo. A apuração, porém, não estabelecia a regra de "um homem, um voto". Na Assembleia das Centúrias, por exemplo, os cidadãos eram divididos em pequenos grupos segundo as regras específicas de cada encontro. Esses grupos, em geral, não eram equivalentes em tamanho. Primeiramente, os integrantes de cada círculo votavam individualmente para que fosse determinado qual seria o voto único do grupo na assembleia. Assim, a soma dos votos únicos dos grupos definia uma assembleia.

O grande problema é que esse procedimento, aparentemente democrático, gerava distorções nos resultados das eleições. Os homens mais ricos e poderosos compunham grupos menores que possuíam votos com o mesmo peso de grupos bem maiores formados por cidadãos pobres. Assim, nem sempre a vontade da maioria absoluta das pessoas era respeitada. Para piorar, a votação começava dos mais ricos até chegar aos menos abastados. Com isso, os integrantes das classes mais afortunadas podiam votar em bloco na assembleia e, quando o pleito chegava aos mais pobres, a maioria de votos já estava praticamente decidida.

Já os grupos eleitorais na Assembleia Tribal dos Plebeus eram determinados segundo o local onde os cidadãos moravam. Essa assembleia obteve o nome da instituição romana de tribos. À época, chegava a 35 o número de tribos, que eram estruturadas em termos geográficos para dar uma vantagem a proprietários de terras ricos da zona rural. Essa assembleia não incluía os chamados patrícios. Constituída, basicamente, de eleitores plebeus, conduzia julgamentos e as mais diferentes formas de negócios públicos imagináveis. Sobretudo nos primeiros séculos do período republicano, todas as propostas aprovadas pelos plebeus nessas reuniões eram tidas somente como recomendações, nunca como leis. Assim, os aristocratas, que dominavam o governo romano nessa época, em muitos casos simplesmente ignoravam os encaminhamentos dados nesses plebiscitos.

Contudo, os plebeus passaram a se revoltar com tal falta de consideração da elite para com os seus pedidos e desejos. Diante disso, a prática da secessão foi uma ferramenta mais uma vez importante para pressionar a aristocracia romana. Repetido por várias vezes, esse instrumento de luta fez com que os patrícios fossem obrigados a ceder. Um novo movimento de revolta em 287 a.C. culminou em um acordo que tornava as decisões tomadas nos plebiscitos plebeus uma fonte de leis oficiais.

Essa mudança fez com que os resultados de votos dados na Assembleia dos Plebeus passassem de meras recomendações a uma das principais fontes de legislação, que atingiam, inclusive, os próprios patrícios. O reconhecimento desses plebiscitos acabou, assim, com o conflito das ordens entre patrícios e plebeus.

A Assembleia Tribal dos Plebeus era responsável por eleger, entre outros, os dez tribunos. Estes eram funcionários públicos especiais e poderosos dedicados a proteger os interesses da classe plebeia. O poder dos tribunos de obstruir ações de outros funcionários públicos e de assembleias dava a eles um potencial enorme de influenciar o governo de Roma. Dessa maneira, os detentores do cargo passaram a ser odiados por integrantes da elite romana, que, em inúmeras ocasiões, tinham os seus desejos políticos negados por conta da influência deles.

Posteriormente, a Assembleia Tribal também passou a ter reuniões ampliadas com as presenças de patrícios e plebeus. Os encontros com esse formato ganharam o nome de Assembleia Tribal do Povo. Tais reuniões serviam para eleger, por exemplo, os questores e ainda podiam decretar leis e realizar julgamentos considerados de menor importância.

Apesar de todas as tentativas de chegar a um denominador comum, a luta entre classes e poderes gerou, durante a República, muitos conflitos políticos sérios. Tais confrontos, acreditam alguns historiadores contemporâneos, eram causados pelo fato de várias instituições poderem criar

Figura de senador e seus escravos: o parlamentar romano era uma espécie de conselheiro do cônsul

leis ou normas equivalentes. Como Roma não tinha uma Suprema Corte, não era possível resolver disputas sobre a validade das leis que estavam sobrepostas ou em discordância umas com as outras.

Mesmo com toda essa movimentação e efervescência, os romanos mais ricos e de maior status social continuaram dominando a maior parte do governo republicano de Roma.

> Para conseguirem apoio dos eleitores, candidatos a cargos públicos em Roma financiavam festivais de luta entre gladiadores e batalhas de animais trazidos da África.

3

GUERRAS E AVANÇO TERRITORIAL

OS ROMANOS ENFRENTARAM DURAS BATALHAS PARA CONSEGUIR AMPLIAR DE MANEIRA SIGNIFICATIVA SEU DOMÍNIO NO PERÍODO REPUBLICANO

Durante sua época republicana, Roma travou guerras que a ajudaram a ampliar o domínio territorial de um modo bastante significativo. Essa expansão sobre terras anteriormente governadas por outros povos foi fundamental no projeto de formação de um verdadeiro império.

Se trouxe ganhos de terras, esse movimento também gerou profundas mudanças na sociedade de Roma. Após dominar diversos arraiais, os romanos passaram a ter contato muito estreito com o modo de viver de outras culturas. O caso mais claro foi a interação com os gregos. Essa relação levou, inclusive, à criação da primeira obra de literatura romana escrita em latim.

Além disso, a expansão fez com que uma infinidade de pequenos agricultores da Itália caísse na pobreza. Tal situação gerou conflito entre os membros da elite sobre o que fazer com esses conterrâneos necessitados. Era o prenúncio do fim da República.

PRIMEIROS COMBATES

As batalhas iniciais ocorreram na região central da Itália. Os romanos obtiveram importante triunfo sobre vizinhos latinos em 499 a.C., pouco depois que o regime republicano foi estabelecido. Nos cem anos seguintes, travaram intensas lutas contra os etruscos da localidade de Veios, ao norte do rio Tibre. A vitória veio no ano de 396 a.C. e ajudou os romanos a praticamente dobrarem o seu território. Nessa época, o exército romano já era considerado o mais poderoso da região do Mediterrâneo. A sua maior unidade era a legião, composta por, aproximadamente, 5 mil soldados de infantaria. Cada legião ainda tinha a retaguarda de 300 tropas de cavalaria, além de engenheiros responsáveis por atividades de apoio.

A legião era subdividida em unidades menores, que eram lideradas pelos chamados centuriões. Tratava-se de uma forma de garantir maior mobilidade do exército em caso de necessidade de uma reação rápida a situações inesperadas durante os combates. Essa formação deixava espaços entre os grupos de cem homens, o que permitia que os soldados de infantaria permanecessem atrás dos grandes escudos enquanto faziam bom uso das lanças para romper a linha de frente do inimigo. Em seguida, eles empunhavam suas espadas para o temido combate corpo a corpo.

Segundo historiadores, as espadas usadas pela infantaria eram especialmente feitas para golpear oponentes a uma distância bem curta. Além disso, tais homens passavam por rigoroso treinamento para conseguirem suportar os sangrentos confrontos. Essa boa e intensa preparação do exército auxiliou Roma a avançar em suas investidas. Em 220 a.C., o imperialismo começava a ganhar contornos mais fortes depois que toda a Itália ao sul do rio Pó estava sob controle dos valentes romanos.

Quando vencia as ásperas batalhas, Roma tinha como estratégia escravizar os povos derrotados. Quando não fazia isso, os forçava a ceder extensões de terra bastante consideráveis. Com relação a povos italianos conquistados, os romanos não os obrigavam a pagar impostos, mas exigiam que estes prestassem ajuda militar nas batalhas. Os novos aliados recebiam uma parte dos despojos de guerra – como escravos e terra. Em linhas gerais, a estratégia romana era agregar ex-adversários e, assim, fazer com que sua riqueza fosse ainda maior com o passar do tempo. Diante desse cenário, os especialistas no tema enfatizam que o imperialismo romano era inclusivo.

EXPANSÃO

Por volta de 300 a.C., a taxa populacional de Roma chegou, diante desse ambiente de progresso, a níveis considerados altíssimos para o período. Somente dentro do muro de fortificação da cidade viviam cerca de 150 mil pessoas. Para conseguir abastecer toda essa alta demanda, foram levantados aquedutos que levavam água potável para a cidade. Além disso, a presa das guerras vencidas era usada para financiar um amplo projeto de edificações de casas.

Fora das muralhas, aproximadamente 750 mil cidadãos romanos libertos moravam em diferentes regiões da Itália na terra tomada dos povos locais. A população rural, contudo, acabou passando por percalços econômicos na época por conta do aumento da taxa de natalidade – o que levava à impossibilidade em conseguir sustentar famílias maiores – e também pela dificuldade em manter uma fazenda produtiva quando muitos homens estavam em campanhas militares muito longas e desgastantes. Além disso, as grandes porções de terras nas mãos de poucos contribuíram para o surgimento de novos conflitos velados entre romanos ricos e pobres.

PRIMEIRA GUERRA PÚNICA

Um combate, no mínimo, bem diferente colocou à prova a hegemonia romana entre os anos de 280 e 275 a.C. A batalha na cidade grega de Taranto colocou Roma diante de um exército equipado com elefantes de guerra. A tática foi utilizada pelo general mercenário Pirro para tentar conter o quase inevitável avanço adversário sobre o sul da Itália.

Diante de um inimigo tão poderoso, os líderes romanos convenceram as assembleias a votarem favoravelmente ao enfrentamento dessa ameaça. Apesar de todas as dificuldades, após cinco anos, Pirro abandonou a guerra e retornou à Grécia. Assim, Roma obteve total controle do sul da Itália até a costa do Mediterrâneo no fim da península.

Diante dessa expansão em direção ao sul, os romanos estavam à beira da região dominada por Cartago, um Estado bastante próspero que ficava do outro lado do mar Mediterrâneo, na região onde atualmente está localizada a Tunísia. Em 800 a.C., os fenícios colonizaram Cartago, uma região favorável para o comércio marítimo e com áreas agrícolas férteis em sua parte central. O comércio dos cartagineses foi expandido por toda a região oeste do Mediterrâneo, até mesmo sobre a ilha da Sicília, localizada em uma faixa estreita de mar na ponta da península italiana.

A prosperidade de Cartago gerou um ávido interesse dos romanos. O grande problema é que lhes faltava experiência naval para um combate marítimo, algo que sobrava para os cartagineses. Os cidadãos de Roma, no século III a.C., não contavam com praticamente nenhum conhecimento tecnológico para construir um navio de guerra e também não possuíam a organização necessária para formar uma marinha poderosa.

Dessa forma, uma batalha parecia inviável. Além disso, não havia traço de inimizade entre os povos para que fosse precipitado qualquer tipo de ação romana contra Cartago. Porém, um episódio insignificante mudou esse cenário e levou a uma guerra destruidora com mais de um século de duração.

Tudo começou quando, em 264 a.C., um bando de mercenários na cidade de Messina, no extremo nordeste da Sicília, encontrava-se em situação de perigo depois que o serviço militar para o qual foram contratados terminou em fracasso. Desesperados, eles decidiram solicitar auxílio de Cartago e Roma ao mesmo tempo. O Senado romano não entrava em um consenso sobre o que fazer com relação ao pedido de resgate dos mercenários. No entanto, o cônsul patrício Ápio Cláudio Cáudice convenceu a maioria a votar pelo envio de tropas para a região da Sicília com a promessa de garantia de excelentes despojos. Assim, o envio do exército para Messina tornava-se a primeira expedição militar de Roma fora da Itália.

O que ninguém esperava é que Cartago também enviaria soldados àquela região. O encontro dos dois exércitos eclodiu uma batalha entre as forças das potências econômicas. Como resultado, houve a Primeira Guerra Púnica entre os anos de 264 a.C. e 241 a.C. A vitória romana veio a partir da persistência. Preparada para sacrificar vidas e gastar muito dinheiro no conflito, Roma perdeu 250 mil homens e cerca de quinhentos navios de guerra construídos recentemente. Um século depois, o historiador Políbio, da Grécia, considerou a Primeira Guerra Púnica a maior guerra da história em duração, intensidade e escala de operações.

O que impressiona é que, forçada a lutar no mar contra um rival muito melhor preparado para essas condições, Roma decidiu desenvolver sua marinha a partir do zero. Copiou os navios e táticas do adversário com a ajuda dos gregos e conseguiu, finalmente, conquistar Messina. Assim, findava-se a Primeira Guerra Púnica em 241 a.C.

Com o triunfo, os romanos tornaram-se os mestres da próspera Sicília, região repleta de portos e campos. A receita que vinha dos impostos que os romanos recebiam dos sicilianos era tão elevada que, em 238 a.C., outras duas colônias cartaginenses – as ilhas de Córsega e Sardenha – também foram anexadas pelo império.

SEGUNDA GUERRA PÚNICA

Depois da longa guerra diante de Cartago, os romanos decidiram fazer alianças com comunidades que ficavam ao leste da Espanha com o intuito de bloquear o poder inimigo na região. Roma, contudo, dava garantias de que não iria interferir no lado sul do rio Ebro, localidade de domínio cartaginês.

Entretanto, as autoridades de uma cidade de nome Sagunto, que ficava justamente naquela região, solicitaram auxílio romano contra Cartago. Vale destacar que se tratava de um local com intensa atividade comercial em recursos minerais e agrícolas na Espanha. Diante do pedido, o Senado romano simplesmente ignorou a promessa feita anteriormente de não intervir na cidade e decidiu socorrer.

Talvez, o principal motivo para a quebra do pacto tenha sido a visão romana de que os cartagineses eram bárbaros de moral inferior. Eles os condenavam pela prática de sacrificar bebês e crianças em emergências nacionais para recuperar o favor dos deuses.

Assim, em 218 a.C., 23 anos depois do primeiro combate entre Roma e Cartago, tinha início a Segunda Guerra Púnica, que só chegaria ao fim em 201 a.C. Este novo longo combate foi ainda mais desgastante. Tudo porque o general cartaginês Aníbal Barca fez uso de uma audaciosa tática. Ele marchou com suas tropas e elefantes pelas passagens cobertas de neve nos Alpes para invadir a Itália. Em 216 a.C., 30 mil romanos foram dilacerados naquela que ficou conhecida como Batalha de Canas.

Aníbal conhecia o tamanho do poderio romano e tinha como estratégia tentar provocar revoltas nas cidades italianas aliadas a Roma. Ele ainda apostou corretamente em uma aliança com o rei Filipe V, da Macedônia, em 215 a.C., o que forçou os romanos a lutarem na Grécia. O general de Cartago gerou inúmeras dificuldades aos seus oponentes durante 15 anos. Ele marchou pela Itália nesse período, destruiu parte do território romano e ameaçou, inclusive, a soberania da capital.

Porém, Aníbal falhou em sua tática de jogar os aliados italianos contra Roma. Eles, muito pelo contrário, permaneceram leais e o general teve de finalizar a campanha de guerrilha na Itália para retornar ao norte da África juntamente com todo o seu exército em 203 a.C. Naquele mesmo ano, os romanos, sob o comando do general Cipião, lançaram um ataque importante contra Cartago. Após longos anos, finalmente Aníbal seria definitivamente derrotado na batalha de Zama, em 202 a.C.

Para concretizar a vitória, os romanos impuseram aos cartagineses um acordo de paz punitivo. Eles foram obrigados a afundar navios, pagar indenizações de guerra muito elevadas durante cinquenta anos e abrir mão de territórios na Espanha. Roma ainda lutaria posteriormente contra indígenas espanhóis pelo controle das áreas, mas os lucros que as terras eram capazes de gerar aos seus donos – principalmente por meio da extração mineral – faziam a difícil empreitada valer a pena. Essas receitas eram tão grandes que garantiam a realização de projetos de prédios públicos de custo elevadíssimo em Roma.

Depois do sucesso diante de Cartago, os romanos voltaram as atenções para o embate contra os gauleses no norte da Itália. Esse grupo celta era considerado muito perigoso, sobretudo depois que saqueou Roma de modo devastador no ano de 387 a.C. Tratava-se, portanto, de uma defesa preventiva. No fim do século III a.C., os romanos já controlavam todo o vale do Pó – antes em poder dos gauleses – e, consequentemente, toda a Itália até os Alpes.

Imagem de antiga construção em Sagunto: conflito na região precipitou Segunda Guerra Púnica

TERCEIRA GUERRA PÚNICA

O ano de 146 a.C. marcou a aniquilação de Cartago ao final da Terceira Guerra Púnica (149 a.C. a 146 a.C.). O derradeiro combate começou no momento em que Cartago, já recuperado do pagamento de indenizações impostas por Roma após a Segunda Guerra Púnica, atacou o vizinho rei da Numídia, Massinissa, aliado romano. Dessa vez, a cidade foi completamente destruída e o território passou a ser uma província do império. A destruição de Cartago como um Estado independente foi uma resposta aos insistentes pedidos do senador romano Marco Pórcio Catão, que temia as ameaças, ainda que tímidas, daquele rival.

MUDANÇAS

Como consequência das atividades militares e diplomáticas intensas, as relações romanas com o sul da Itália, Sicília, Grécia e Ásia Menor tornaram-se mais efetivas e fizeram com que os romanos tivessem um contato mais aprofundado com a cultura grega. Essa interação influenciou profundamente o desenvolvimento da arte, arquitetura e literatura na cultura de Roma. O primeiro templo de mármore construído na capital, por exemplo, foi erguido no ano de 146 a.C. em homenagem a Júpiter, seguindo a tradição dos gregos de usarem esse tipo de pedra brilhante.

A literatura também ganhou corpo a partir dos conhecidos e admirados modelos gregos. Por volta de 200 a.C., a primeira história romana foi escrita no idioma grego. Já a peça literária mais antiga escrita em latim, um poema longo produzido após a Primeira Guerra Púnica, foi uma adaptação da *Odisseia*, de Homero.

Mas as mudanças sociais no Império Romano também foram profundas no período. A classe alta auferiu ganhos consideráveis nos séculos II e III a.C, sobretudo por meio do recebimento de presas de guerra.

Além disso, a criação de novas províncias gerou a necessidade de uma quantidade mais elevada de líderes militares e políticos que não podia ser fornecida pelo número tradicional de funcionários públicos eleitos. Com isso, um ajuntamento cada vez maior de funcionários passou a ter poderes estendidos para comandar tropas e administrar essas províncias. Todavia, como o governador provincial geria por lei marcial, ninguém era capaz de impedir que ele enriquecesse por meio de corrupção e extorsão. Claro que nem todos eram corruptos. Verdade também que poucos dos que praticavam atos ilegais eram punidos. Um dos poucos exemplos foi Verres, processado por Cícero, em 70 a.C., por crimes administrativos na Sicília.

POBREZA

Na época, a base econômica continuou sendo a agricultura. Nestes séculos, os agricultores trabalharam em pedaços de terra pequenos no interior da Itália. Paralelamente, os proprietários também representavam a principal fonte de soldados do exército. Devido a esse quadro, a República passou por imensuráveis dificuldades, econômicas e sociais. Durante as guerras, a produção agrícola ficou demasiadamente desguarnecida.

Antes do acontecimento das Guerras Púnicas, Roma mantinha uma operação bélica que seguia os padrões mediterrâneos normais, ou seja, campanhas militares curtas programadas que não interferiam nas atividades relacionadas à agricultura. Os combates sazonais permitiam que os homens permanecessem em casas nos períodos do ano em que necessitavam semear e colher, além de supervisionar o acasalamento e abate de animais. Mas, a partir da Primeira Guerra Púnica, as campanhas passaram a ser demasiadamente extensas e impediam que estes voltassem periodicamente aos lares.

Em muitos casos, mulheres e crianças – sobretudo familiares de soldados – morriam de fome por não contarem com a figura masculina para lhes garantir a provisão necessária. Outras mulheres decidiam buscar a sobrevivência se prostituindo nas cidades da Itália. Diversas famílias agrícolas se endividavam e tinham de vender a terra. Por sua vez, ricos proprietários de terras podiam adquirir esses terrenos para criar plantações ainda maiores. Já os latifundiários aumentavam as suas posses ainda mais ocupando, de modo ilegal, terras públicas que Roma havia confiscado dos povos derrotados na Itália.

MIGRAÇÃO

Sem condições para plantar e viver dignamente, muita gente passou a migrar para Roma. Na capital, homens procuravam um trabalho subalterno. As mulheres aguardavam serviços ocasionais na produção de tecidos. Esse exército de pobres desesperados em busca de alimento inchou a população da cidade. Esse cenário transformara o ambiente político romano em um verdadeiro barril de pólvora. Famílias inteiras de miseráveis estavam dispostas a apoiar, por meio de seus votos, quaisquer políticos que prometessem atender às suas necessidades mais básicas. De alguma maneira, os mais carentes precisavam ser alimentados para que grandes manifestações fossem evitadas ao máximo.

Roma, no final do século II a.C., foi obrigada a importar grãos para conseguir alimentar minimamente sua excessiva população urbana. O mesmo havia feito Atenas cerca de 300 anos antes. Além disso, o Senado romano fazia um trabalho de supervisão no mercado de grãos e especulação no suprimento alimentar básico a fim de garantir a distribuição em tempos de escassez.

No entanto, essa política gerava muita controvérsia. Enquanto alguns líderes entendiam que essa era a única solução possível para o problema que batia à porta, outra parcela significativa discordava com bastante veemência, mas também não buscava propor uma alternativa melhor. Dessa maneira, essa política permaneceu. No decorrer dos anos, a quantidade de necessitados cresceu vertiginosamente. Dezenas de milhares faziam parte desta grande lista de pessoas com direito ao recebimento dos subsídios sem qualquer custo. Prosseguir ou não com esse gasto exponencial gerava cada vez mais discussão.

CONFLITOS INTERNOS

A total falta de consenso em torno do auxílio aos pobres teve efeitos devastadores até mesmo em núcleos familiares proeminentes. Tibério Graco e Caio Graco vieram de uma das famílias de classe alta mais distintas de Roma: Cornélia, mãe de ambos, era filha do lendário general Cipião Africano. Tibério foi eleito para o posto de tribuno plebeu em 133 a.C. Imediatamente, fez com que a Assembleia Tribal dos Plebeus adotasse leis de reforma desenvolvidas para redistribuir terras públicas para romanos que não tinham propriedades. Tal medida foi adotada sem a consulta e aprovação dos senadores. A manobra era legal – já que o Senado não podia barrar quaisquer medidas –, mas extremamente estranha à tradição romana. Ele afrontou ainda mais o costume político romano ao simplesmente ignorar o Senado sobre a questão do financiamento dessa proposta de reforma agrária.

As reformas levantadas por Tibério para auxiliar os agricultores desapropriados tinham, obviamente, uma raiz política, pois ele precisava quitar um débito com rivais políticos e tinha o objetivo de se tornar popular como um defensor do povo mais sofrido.

Esse ímpeto de Tibério, contudo, foi barrado de maneira violenta. Um ex-cônsul chamado Cipião Nasica organizou violento ataque surpresa contra ele. Um grupo de senadores e seus clientes assassinaram Tibério e seus companheiros a golpes no monte Capitolino no final do ano de 133 a.C. Desse modo sangrento e nada republicano teve início essa triste história de violência e assassinato como tática política em Roma.

Caio Graco venceu eleição para tribuno em 123 a.C. e, mais uma vez, em 122 a.C. Assim como o irmão Tibério, ele deu o pontapé inicial a algumas reformas que ameaçavam muito a elite romana. Além de manter as reformas agrárias, introduziu ainda leis que garantiam grãos a cidadãos de Roma a preços subsidiados pelo Estado. Conseguiu ainda aprovar projetos de obras públicas por toda a Itália para fornecer emprego aos pobres.

As mais revolucionárias de todas as ações foram as suas propostas de dar cidadania romana a diversos italianos e constituir um tribunal de júri para senadores acusados de prática de corrupção enquanto exerciam cargos governamentais nas províncias. A proposta de cidadania fracassou. Já o estabelecimento do tribunal para processos contra os senadores gerou uma enorme polêmica, pois suas causas seriam analisadas por homens ricos. À época, esses cidadãos, conhecidos como equestres, eram mais envolvidos em negócios, mas mantinham suas ambições em serem designados a cargos públicos. A entrada deles no funcionalismo, contudo, era frequentemente bloqueada pelos senadores.

A proposta de Caio de fazer com que os equestres atuassem como jurados no júri dos senadores acusados de ilegalidades na administração das províncias marcou a ascensão deles na política romana. Tal ameaça deixou o Senado em fúria. Os senadores, então, em 121 a.C., publicaram um documento que autorizava o cônsul Opímio a empregar força militar dentro da cidade de Roma, onde, segundo a tradição, nem mesmo os funcionários públicos tinham tal poder. Caio ainda buscou contratar um guarda-costas para tentar se proteger contra ataques inesperados. Mas, sem saída, ele, para fugir da detenção e execução que se avizinhavam, ordenou a um de seus escravos que cortasse a sua garganta.

Depois da morte de Tibério e Caio Graco, os membros da alta classe romana viram-se cada vez mais divididos. Não havia qualquer possibilidade de se estabelecer consenso com relação à ajuda irrestrita ou não aos pobres que tomavam a capital do império. Certos líderes políticos ainda preservavam suas alianças políticas. Outros simplesmente tinham o objetivo de promover abertamente as suas carreiras fingindo ser adeptos de um ou de outro lado. Porém, independentemente da postura adotada, o racha dentro da elite continuou sendo uma plena fonte de efervescência política e violência gratuita nos últimos anos de República.

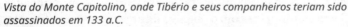

Vista do Monte Capitolino, onde Tibério e seus companheiros teriam sido assassinados em 133 a.C.

4

O FIM DA ERA REPUBLICANA

OS CONFLITOS ENTRE INTEGRANTES DA ELITE ROMANA E AS REVOLTAS INTERNAS DESTRUÍRAM O REGIME E MARCARAM UM NOVO TEMPO DENTRO DO IMPÉRIO

A falta de consenso com relação a políticas sociais tornou insustentável o regime republicano em Roma no século I a.C. O processo de deterioração começou na época dos mandatos dos cônsules Tibério e Caio Graco e durou cerca de cem anos. As guerras civis no período também ajudaram a acelerar ainda mais esse momento de degradação.

Além disso, o Estado romano passou a enfrentar rebeliões internas e externas. Na época, cerca de 70 mil escravos escaparam de propriedades na região da Sicília e uniram-se com o objetivo de organizarem um levante. A revolta durou três anos. Também foi preciso estancar uma guerra estrangeira com Jugurta, rei-cliente rebelde na África do Norte. Por fim, guerreiros gauleses precipitaram diversos ataques nas regiões do norte da Itália.

O ambiente inóspito abriu caminho para um novo tipo de líder, alguém sem vínculo com a nobreza, mas muito hábil na condução militar e com melhor reputação para o cargo de cônsul. Esses novos candidatos ao cargo, mesmo não tendo um histórico familiar distinto, passaram a ser chamados de novos homens.

Porém, eles precisaram vencer o preconceito social para alcançarem tal posto. Isso foi possível por meio de atitudes consideradas nobres, como a generosidade com soldados – que recebiam despojos e tinham suas necessidades atendidas. Em geral, o combatente romano comum era pobre. Assim, ele via nesta nova figura um comandante a quem devia ter como patrono e prestar obediência. Esse personagem nutria mais empatia do que senadores ou integrantes de assembleias. Assim, o sistema patrono-

-cliente tornou-se mais um jeito de os líderes conseguirem poder individual do que um suporte para os interesses da comunidade de Roma em si.

PRECURSOR

Caio Mário (157 a.C. a 86 a.C.) foi quem mais colocou a ideia reformada de liderança em prática. Sem raízes nobres, ele não teria chance alguma de chegar a um posto de liderança dentro do cenário tradicional romano. Sua condição o levaria, no máximo, a uma carreira pública em cargos minoritários dentro do Senado.

Contudo, uma grande e urgente necessidade de Roma fez com que o jogo virasse completamente para ele. No final do século II a.C., o império precisava de homens com suas características e capacidades para levar um exército à vitória. Mário serviu com maestria na guerra norte-africana e ganhou notoriedade. Tais combates haviam se arrastado por muito tempo por conta da falta de competência de outros generais. Somente com a chegada dele que os romanos puderam finalmente caminhar rumo à vitória.

Assim, o general começou a subir alguns importantes degraus na escada de cargos eletivos. O apoio a interesses de patronos nobres e o casamento com uma mulher pertencente a uma famosa família de patrícios o auxiliaram ainda mais na empreitada que tinha como objetivo maior o cargo de cônsul. Astuto, Caio Márcio soube usar a sua boa reputação e o histórico invejável de triunfos militares para vencer as eleições para um dos cônsules de 107 a.C.

Sua popularidade era notória entre os eleitores. Tanto que as vitórias contra os celtas do norte – esse povo tentou em inúmeras oportunidades invadir a Itália no fim do século II a.C. – o fizeram ser escolhido cônsul por seis mandatos seguidos, algo sem precedentes.

Caio Mário ainda nutria o respeito do Senado, que lhe homenageou com a honra militar definitiva de Roma. Tratava-se de um raro reconhecimento dado somente a generais que obtinham triunfos considerados estupendos. No dia de recebimento da nomeação, o general desfilava pelas ruas da cidade em uma carruagem militar e era aclamado pela multidão.

Porém, mesmo com a popularidade em alta, Mário nunca foi unanimidade na elite romana. Ele era visto como um ameaçador "novo rico". Seu grande apoio vinha mesmo da ordem equestre – classe aristocrática considerada mais baixa – e do povo comum. É provável que os equestres tenham incentivado sua entrada na nobreza com a intenção de provarem o valor dessa classe social.

A notoriedade de Caio Mário entre os mais pobres teria sido um reflexo, entre outras coisas, da reforma que ele fez em relação aos requisitos para que um homem pudesse entrar no exército de Roma. Se antes apenas pessoas com posses podiam se alistar, naquele momento o proletário também tinha esse direito. Com isso, os cidadãos da classe baixa vislumbravam ganhar recompensas de status e despojo aos quais os soldados tinham direito em campanhas vitoriosas. Essa era a grande oportunidade para que esses pobres romanos pudessem melhorar um pouco suas vidas. Nem mesmo o risco de serem mortos ou gravemente feridos tirava a vontade desses homens de irem para os combates.

Nesse período, o Estado romano não oferecia qualquer tipo de recompensa ou pensão a ex-soldados. Dessa forma, um bom retorno financeiro dependia de uma vitória na batalha e ainda da generosidade do general. Como não havia mais terra na Itália para ser distribuída entre os veteranos nessa época, as tropas ficavam dependentes por completo da participação nos despojos conseguidos. Vale ressaltar que o general tinha o direito de manter a maior parte da pilhagem para si mesmo. Por isso, as tropas proletárias sentiam uma imensa gratidão quando seu líder era generoso na distribuição.

Diante desse comportamento de Caio Mário, a lealdade dos combatentes era cada vez maior para com seus generais e não necessariamente para com o Estado. Assim, o exército romano passou a se comportar como uma legião de clientes, seguindo com retidão seus líderes e deixando os interesses estatais em segundo plano.

Esse período marcou uma reorganização do exército de Roma, com o uso de novas táticas. As legiões passaram a ser compostas por dez unidades com 480 homens cada. Cada unidade tinha seis centúrias de 80 homens comandados por um centurião. Nessa época, o armamento, antes composto por quaisquer equipamentos, também passou a ser mais uniforme.

A infantaria principal levava lanças, espadas e grandes escudos. Mário projetou o uso de lanças pesadas para que dobrassem após o impacto no escudo inimigo, o que impedia o seu movimento e facilitava sua morte. Em seguida, os soldados romanos agrediam o adversário e utilizavam espadas no combate individual.

GUERRA SOCIAL

Ao mesmo tempo em que o exército de Caio Mário abriu espaço para importantes vitórias, trouxe também problemas. Suas tropas se tornaram uma fonte de poder político para comandantes sem escrúpulos que desestabilizaram a República em termos políticos. Mário, porém, era muito apegado à tradição para utilizar um exército seu para manter a própria carreira. Com essa postura, ele acabou perdendo importância política depois do ano 100 a.C.

> Durante as cerimônias de honra militar em carro aberto, era bastante comum o general homenageado ter atrás dele um escravo que lhe alertava: "Olhe atrás de você e lembre-se de que é um mortal". A prática era uma forma de evitar que o orgulho e a fama subissem à cabeça.

No começo do século I a.C., as crescentes crises de relacionamento entre a capital e seus aliados italianos transformaram-se em guerra. A tradição romana conta que os aliados costumavam dividir os despojos dos triunfos militares. Contudo, eles não eram cidadãos romanos e não tinham direito de interferir nas decisões das políticas domésticas ou internacionais. Tal situação deixava-os insatisfeitos, pois eles viam a riqueza aumentar cada vez mais dentro da República. Os italianos desejavam uma divisão muito mais igualitária.

O aborrecimento dos aliados passou do limite do aceitável em 91 a.C., quando a violência tomou conta da Roma republicana na Guerra Social. O embate interno – que foi assim chamado porque a palavra latina para "aliado" é *socius* – teve duração de quatro anos.

Os italianos se uniram para formar uma nova república, que recebeu o nome de Itália. Decidiram montar uma confederação – composta por picenos, lucanos, marsos, samnitas, apúlios, etruscos e úmbrios – para lutar contra Roma. Eles cunharam uma moeda própria e implementaram seu Senado. O conflito contou com muitas batalhas. As primeiras foram vencidas pelos italianos. Mas, quando Lúcio Cornélio Sulla assumiu o controle do exército romano, em 90 a.C., o jogo virou. Daí por diante, Roma aniquilou os samnitas. Algumas fontes dão conta de que aproximadamente 300 mil italianos foram mortos em batalha.

Ao final da guerra, a vitória, teoricamente, foi romana. Porém, os italianos conseguiram alcançar parte de seus objetivos. Para garantir um ambiente de paz, Roma decidiu conceder aos aliados a cidadania, motivo pelo qual tinham dado início à revolta. A partir daquele momento, os povos nascidos livres da Itália ao sul do rio Pó passavam a ter os privilégios da cidadania romana. Um dos direitos – talvez aquele que mais contava para eles – era o de votar nas assembleias.

PRECURSOR

Caio Mário (157 a.C. a 86 a.C.) foi quem mais colocou a ideia reformada de liderança em prática. Sem raízes nobres, ele não teria chance alguma de chegar a um posto de liderança dentro do cenário tradicional romano. Sua condição o levaria, no máximo, a uma carreira pública em cargos minoritários dentro do Senado.

Contudo, uma grande e urgente necessidade de Roma fez com que o jogo virasse completamente para ele. No final do século II a.C., o império precisava de homens com suas características e capacidades para levar um exército à vitória. Mário serviu com maestria na guerra norte-africana e ganhou notoriedade. Tais combates haviam se arrastado por muito tempo por conta da falta de competência de outros generais. Somente com a chegada dele que os romanos puderam finalmente caminhar rumo à vitória.

Assim, o general começou a subir alguns importantes degraus na escada de cargos eletivos. O apoio a interesses de patronos nobres e o casamento com uma mulher pertencente a uma famosa família de patrícios o auxiliaram ainda mais na empreitada que tinha como objetivo maior o cargo de cônsul. Astuto, Caio Márcio soube usar a sua boa reputação e o histórico invejável de triunfos militares para vencer as eleições para um dos cônsules de 107 a.C.

Sua popularidade era notória entre os eleitores. Tanto que as vitórias contra os celtas do norte – esse povo tentou em inúmeras oportunidades invadir a Itália no fim do século II a.C. – o fizeram ser escolhido cônsul por seis mandatos seguidos, algo sem precedentes.

Caio Mário ainda nutria o respeito do Senado, que lhe homenageou com a honra militar definitiva de Roma. Tratava-se de um raro reconhecimento dado somente a generais que obtinham triunfos considerados estupendos. No dia de recebimento da nomeação, o general desfilava pelas ruas da cidade em uma carruagem militar e era aclamado pela multidão.

Porém, mesmo com a popularidade em alta, Mário nunca foi unanimidade na elite romana. Ele era visto como um ameaçador "novo rico". Seu grande apoio vinha mesmo da ordem equestre – classe aristocrática considerada mais baixa – e do povo comum. É provável que os equestres tenham incentivado sua entrada na nobreza com a intenção de provarem o valor dessa classe social.

A notoriedade de Caio Mário entre os mais pobres teria sido um reflexo, entre outras coisas, da reforma que ele fez em relação aos requisitos para que um homem pudesse entrar no exército de Roma. Se antes apenas pessoas com posses podiam se alistar, naquele momento o proletário também tinha esse direito. Com isso, os cidadãos da classe baixa vislumbravam ganhar recompensas de status e despojo aos quais os soldados tinham direito em campanhas vitoriosas. Essa era a grande oportunidade para que esses pobres romanos pudessem melhorar um pouco suas vidas. Nem mesmo o risco de serem mortos ou gravemente feridos tirava a vontade desses homens de irem para os combates.

Nesse período, o Estado romano não oferecia qualquer tipo de recompensa ou pensão a ex-soldados. Dessa forma, um bom retorno financeiro dependia de uma vitória na batalha e ainda da generosidade do general. Como não havia mais terra na Itália para ser distribuída entre os veteranos nessa época, as tropas ficavam dependentes por completo da participação nos despojos conseguidos. Vale ressaltar que o general tinha o direito de manter a maior parte da pilhagem para si mesmo. Por isso, as tropas proletárias sentiam uma imensa gratidão quando seu líder era generoso na distribuição.

Diante desse comportamento de Caio Mário, a lealdade dos combatentes era cada vez maior para com seus generais e não necessariamente para com o Estado. Assim, o exército romano passou a se comportar como uma legião de clientes, seguindo com retidão seus líderes e deixando os interesses estatais em segundo plano.

Esse período marcou uma reorganização do exército de Roma, com o uso de novas táticas. As legiões passaram a ser compostas por dez unidades com 480 homens cada. Cada unidade tinha seis centúrias de 80 homens comandados por um centurião. Nessa época, o armamento, antes composto por quaisquer equipamentos, também passou a ser mais uniforme.

A infantaria principal levava lanças, espadas e grandes escudos. Mário projetou o uso de lanças pesadas para que dobrassem após o impacto no escudo inimigo, o que impedia o seu movimento e facilitava sua morte. Em seguida, os soldados romanos agrediam o adversário e utilizavam espadas no combate individual.

GUERRAS MITRIDÁTICAS

Mas a sangrenta Guerra Social era apenas um prenúncio das dificuldades que Roma iria enfrentar. Uma rebelião desencadeada na Ásia Menor abalaria ainda mais a frágil estrutura republicana. O rei de Ponto, Mitríades VI, liderou um levante, sobretudo, por conta da forma arbitrária como os impostos eram cobrados naquela região.

A requisição dos tributos, vale dizer, não era feita por funcionários romanos. A capital fazia uma espécie de licitação entre empreendedores privados para definir quem faria o serviço. Aquele que desse a maior oferta ganhava a concorrência e poderia ficar com os valores arrecadados a mais. Assim, os cobradores pressionavam de modo brutal os locais para que pudessem levar uma quantidade grande de dinheiro.

Mitríades obteve um sucesso instantâneo em sua ação militar. Um ataque surpresa teve como resultado o assassinato de dezenas de milhares em um dia só. Foi o estopim para a Primeira Guerra Mitridática, ocorrida entre os anos de 88 a.C. e 85 a.C. Ao todo, foram necessárias três guerras para que Roma, com extrema dificuldade, conseguisse afastar a ameaça do rei de Ponto.

GUERRA CIVIL

Lúcio Cornélio Sulla saiu das guerras Social e Mitridáticas em alta. Com a exitosa condução do exército romano, esse nobre romano – vindo de uma decadente família de patrícios – venceu, em 88 a.C., a eleição para o cargo de cônsul. Diante do ganho de poder do ex-subordinado, Mário conspirou contra Sulla para tirá-lo do posto.

Foi então que Lúcio Cornélio Sulla tomou uma medida ousada. Aproveitando-se de seu exército de clientes, marchou com os soldados contra Roma. Estava decretada a guerra civil. Ao capturar Roma com tropas de cidadãos romanos, Sulla matou brutalmente ou exilou adversários políticos. Em seguida, conduziu seus soldados para uma campanha militar na Ásia Menor.

Após a saída de Sulla da Itália, Caio Mário e seus aliados retornaram para Roma. A violência de Sulla seria combatida por eles, a partir de agora, com mais violência. O território romano estava imerso em um mar de ódio e sangue. Mário morreu pouco tempo depois, mas os seus seguidores mantiveram o poder até 83 a.C., ano em que Sulla retornou da Ásia Menor com uma vitória importante na bagagem.

Uma nova guerra civil começou depois que os adversários de Sulla se uniram a outros italianos para combater o inimigo em comum. Segundo o historiador Thomas R. Martin, "a batalha culminante da guerra ocorreu no fim de 82 a.C., na Porta Colina de Roma". O general dos samnitas teria inflamado seus homens contra Sulla: "O dia final está próximo para os romanos! Esses lobos que tanto assolaram a liberdade dos povos italianos jamais desaparecerão enquanto não cortarmos a floresta que lhes serve de refúgio". Porém, mesmo diante da empolgação, os samnitas perderam a batalha e a guerra. Foram exterminados e o território deles seguiu para as mãos de Sulla e seus partidários.

Ele ainda aterrorizou seus inimigos em Roma utilizando medida de lei marcial chamada de "proscrição". A tática era publicar a lista dos nomes de pessoas acusadas de crimes de traição. Qualquer cidadão poderia caçar e matar tais pessoas sem a necessidade de qualquer julgamento prévio. A propriedade dos proscritos era confiscada e distribuída aos homicidas. Os aliados de Sulla passaram, então, a adicionar a essa macabra lista nomes de homens inocentes que tinham muitas terras. Dessa forma, eles tinham o pretexto perfeito de punir "supostos traidores" e ficar com as suas valiosas e cobiçadas propriedades.

Percebendo que sua saúde estava debilitada, Sulla deixou a vida pública em 79 a.C. e morreu no ano seguinte.

POMPEU

O novo modelo de líder romano deixado por Sulla criou sucessores. Homens que buscavam poderes para si mesmos enquanto proclamavam estar trabalhando pelo Estado. Cneu Pompeu (106 a.C. a 48 a.C.) foi o primeiro líder dessa leva. Ainda muito jovem, com apenas 23 anos, Pompeu teria agregado, de acordo com a tradição, um exército privado dos clientes de seu pai na Itália para se unir a Sulla na campanha de retomada do poder da capital no ano de 83 a.C. O rapaz alcançou o feito de derrotar os inimigos restantes de Sulla que tinham fugido para a Sicília e África do Norte. O episódio lhe rendeu a honra de celebrar um triunfo, algo incomum para os mais jovens – ainda mais para alguém que nunca ostentou um cargo público sequer.

O prosseguimento de sua carreira mostrou que ele não se importava muito com as tradições romanas. Depois que Sulla saiu de cena, ele tomou as rédeas do poder para si. Ajudou a reprimir uma rebelião na Espanha e uma revolta bastante aguda de escravos na Itália, liderada pelo gladiador Espártaco. Como consequência dos triunfos militares, exigiu e foi eleito cônsul em 70 a.C., bem antes de ter atingido a idade legal de 42 anos.

VITÓRIA SOBRE OS PIRATAS

No ano de 67 a.C., Pompeu acabou eleito para ser um comandante com altos poderes no combate a mais de mil navios piratas que infestavam as rotas do mar Mediterrâneo. O cônsul romano contava com 500 barcos, 120 mil homens, além de cinco mil cavalos.

Sua tática nessa batalha foi bastante astuta. Ele dividiu o Mediterrâneo em 13 regiões, pois, se tentasse atacar em um só ponto, os piratas teriam tempo para reagir. Sua estratégia deu certo. Os adversários não puderam revidar a ofensiva romana. Eles ainda tentaram fugir para a região da Sicília, mas, em apenas 40 dias, os ladrões que ameaçavam o comércio marítimo do Império Romano já estavam dispersos. Cerca de 20 mil deles foram rapidamente capturados.

ÊXITOS E PROBLEMAS

O sucesso de Pompeu lhe rendeu glórias. Ele chegou a ser comparado com Alexandre, o Grande. Por isso, recebeu o nome Magnus, o que o tornou "Pompeu, o Grande". Ele gabava-se por ter feito as receitas das províncias de Roma dispararem e chegou a distribuir aos soldados dinheiro que equivalia a 12 anos de pagamento apenas com a participação nos despojos.

Quando da conquista de algum território, não consultava o Senado sobre os arranjos políticos que deveria seguir. Comportava-se como um rei independente, não mais como representante maior da República.

Mas os êxitos de Pompeu também lhe reservavam dificuldades. Os rivais da classe alta romana estavam ressentidos e temerosos. Entre eles estavam Marco Licínio Crasso – que comandou a vitória sobre Espártaco – e o jovem Júlio César (100 a.C. a 44 a.C.). Para conseguirem apoio contra Pompeu, decidiram ajudar os mais necessitados e se tornaram líderes populares.

A população de Roma era muito grande e boa parte dela morava amontoada em prédios não melhores do que favelas. Estava bem difícil achar trabalho. Muitos se alimentavam apenas com os grãos que eram distribuídos há tempos pelo governo central. Era perigoso andar na rua, pois a cidade não tinha força policial constituída. O cenário econômico também já não era dos melhores e os preços das propriedades caíam a olhos vistos.

TRIUNVIRATO

No ano de 62 a.C., quando Pompeu voltava a Roma, vindo da vitória no Mediterrâneo, os líderes políticos decidiram se recusar a apoiar os seus arranjos territoriais e a autorizar a distribuição de terras como recompensa aos veteranos de guerra. A represália era fruto de inveja pela fama dele. O episódio fez com que Pompeu fosse obrigado a fazer uma aliança política com Crasso e Júlio César. Estava formado o Primeiro Triunvirato – aliança entre três homens.

César foi eleito cônsul em 59 a.C. e recebeu um comando especial ampliado na Gália. Já Crasso conseguiu oportunidades financeiras para cobradores de impostos romanos na Ásia Menor, alcançando importância política e mais recursos financeiros.

Os triunviratos – reeditados posteriormente – foram invenções políticas que ignoraram a constituição romana. Tinham o objetivo, único e exclusivo, de beneficiar seus membros. Para sustentar essa estrutura, os integrantes da tríplice união passaram então a contrair casamentos de motivação política entre si. Em 59 a.C., Júlio César casou a filha dele, Júlia, com Pompeu. Ela estava comprometida com outro rapaz, mas o próprio Pompeu tranquilizou o noivo dispensado casando-o com a filha dele. O casamento entre Pompeu e Júlia, inicialmente apenas um arranjo com interesse estritamente político, virou paixão intensa. O relacionamento ajudou a impedir que Pompeu rompesse de imediato a aliança política com César. Contudo, em 54 a.C., quando ela faleceu durante o parto junto com a criança que carregava, o vínculo entre os líderes foi quebrado definitivamente.

JÚLIO CÉSAR X POMPEU

Cônsul na Gália (atual França) a partir de 58 a.C., César virou o maior rival de Pompeu e decidiu lutar pelo cargo máximo em Roma. Ele começou a montar sua estratégia durante a Guerra da Gália. Após derrotar os gauleses, Júlio César atravessou o Rubicão, rio que separa a Itália da Gália, em direção a Roma. O Senado já o via como uma ameaça real e um futuro ditador.

Sem alternativa diante do rival, Pompeu enfrentou as tropas inimigas na Itália, na Espanha e nos Bálcãs. César o derrotou nas três oportunidades. Finalmente, em Farsália – norte da Grécia –, veio o revés definitivo de Pompeu, mesmo com uma cavalaria bem armada. Os exércitos de César se anteciparam aos oponentes, mataram 6 mil adversários e capturaram outros 24 mil homens. Pompeu, após 34 anos de invencibilidade militar e aos 59 anos, precisou fugir. Foi de barco rumo ao Egito.

Como o rei egípcio, Ptolomeu tinha apenas 10 anos de idade, e o governo local era administrado por um conselho constituído por Potino, Teódoto e Áquila. O trio teve medo de César e planejou uma armadilha para Pompeu. Áquila convocou o tribuno Septímio e o centurião Sálvio. Os três receberam o barco de Pompeu, que foi assassinado. Ele teve a cabeça cortada e levada para Júlio César que, uma década depois, foi nomeado ditador romano (48 a.C.).

CÉSAR E CLEÓPATRA

Após derrotar Pompeu, o líder viajou ao Egito para cobrar uma quantia em dinheiro que o governo devia ao tesouro romano desde o reinado do pai de Cleópatra. No entanto, os assuntos políticos abriram espaço para o famoso romance entre Júlio César e Cleópatra.

O rei Ptolomeu 13 – irmão de Cleópatra –, ao saber do caso entre os dois, incitou o povo de Alexandria a rebelar-se contra os romanos. O exército de Roma foi cercado e sitiado no palácio. Os reforços para auxiliar César chegaram apenas meses depois, mas conseguiram vencer os aliados de Ptolomeu. O jovem faraó foi achado morto por afogamento no Rio Nilo. Mantendo a tradição, Cleópatra casou-se com o último irmão dela, Ptolomeu 14.

Mesmo assim, o romance entre César e Cleópatra era evidente a todos. Eles teriam passeado de barco durante dois meses pelo Nilo como dois bons amantes. Contudo, os historiadores ressaltam que o motivo maior da permanência de César no Egito era outro: como abril era o mês da colheita do trigo egípcio, ele aproveitou a ocasião para estocar as suas embarcações com o cereal. Vale dizer que a maior parte do trigo consumido em Roma vinha justamente do Egito.

Júlio César nunca se casou com Cleópatra. Isso porque ele já era casado com Calpúrnia, uma romana com quem jamais teve filhos.

GOVERNO DE CÉSAR

Em 47 a.C., no mês de julho, Cleópatra deu à luz um menino. Ele recebeu o nome de Ptolomeu 15, mas ficou mais conhecido mesmo como Cesário.

César assumiu a paternidade. Contudo, atualmente, muitos colocam em dúvida quem era o verdadeiro pai da criança. Segundo alguns historiadores contemporâneos, Cleópatra nutria a esperança de que seu filho fosse herdeiro não somente do reino do Egito, mas também de Júlio César. Caso isso ocorresse, Cesário se tornaria governante de um império comparável ao de Alexandre, o Grande, da Macedônia.

O nascimento do filho de Cleópatra foi bastante conveniente para César. Como pai do herdeiro do trono do Egito, ele poderia garantir o envio do trigo egípcio para o território romano sem maiores despesas. No ano de 44 a.C., César removeu qualquer limitação de tempo ao seu mandato de ditador. Tanto que em suas moedas aparecia a inscrição "ditador perpétuo". Como havia um ódio à monarquia dentro de Roma, ele insistia em dizer:

> Sobre o fato bastante incomum de ter sido homenageado por uma grande vitória militar com apenas 23 anos – já que os grandes generais só recebiam honrarias em idades mais avançadas –, Pompeu teria dito a Sulla: "Mais pessoas veneram mais o nascer do que o pôr do sol".

> Júlio César mostrou-se mais benevolente com os inimigos do que outros líderes. Orgulhava-se de sua clemência e tinha os antigos adversários como seus clientes. Como recompensa, César recebia homenagens sem precedentes, como um assento de ouro no Senado e a renomeação do sétimo mês do ano (Júlio, dando origem a julho).

"Não sou rei, sou César". Mas a distinção que fazia era, na prática, insignificante. Como ditador, ele controlava pessoalmente o governo.

As eleições para cargos públicos continuavam, mas César era quem determinava os resultados recomendando candidatos às assembleias, que eram dominadas por seus partidários. E, evidentemente, as suas "recomendações" eram imediatamente obedecidas. Ele foi ambicioso em seu governo. Reduziu as dívidas com moderação, iniciou um grande programa de obras públicas – inclusive com a edificação de bibliotecas –, estabeleceu colônias para os veteranos na Itália e ampliou a cidadania aos não romanos. César ainda regularizou o calendário, iniciando um ano de 365 dias. Esse sistema foi fundamentado em um antigo calendário egípcio e forma a base do calendário moderno.

DERROCADA

Este líder governou Roma como quis. Obrigava senadores a aprovar projetos que não haviam lido. Elevou o número de integrantes do Senado para colocar amigos nos novos postos. Ainda alimentava o sonho de conquistar o reino dos Partos (região entre o mar de Aral e o mar Cáspio) para formar uma nova monarquia mundial. Porém, às vésperas de iniciar mais uma campanha militar, foi atacado por seus conspiradores. Em 15 de março de 44 a.C., foi assassinado por 60 senadores, que o acusavam de querer ser rei, o que significaria o fim da República e a volta da monarquia. Ele teria sido alvejado com 23 facadas nas escadarias do Senado.

A história conta que o grupo foi liderado por Marcus Julius Brutus, filho adotivo dele. Júlio César ainda buscou se defender, cobrindo-se com uma toga. Ao ver Brutus, ele teria dito a sua última frase, que ficaria muito famosa: "Até tu, Brutus". O que os conspiradores não imaginavam era que o assassinato de César não traria o sistema republicano de volta, mas criaria uma nova guerra civil e as condições necessárias para o início de uma verdadeira monarquia.

Após o episódio, Cleópatra surpreendeu-se ao verificar que o testamento de César designava Otávio, seu sobrinho, e não Cesário, como o seu principal herdeiro. O mais conhecido atentado político da Antiguidade deu fim à vida do polêmico ditador. Mesmo assim, o nome "César" ainda foi utilizado por muitos anos como título para os futuros imperadores romanos.

5

A ASCENSÃO DO IMPÉRIO ROMANO

APÓS O DERRAMAMENTO DE SANGUE EM INÚMERAS GUERRAS, UM REPAGINADO SISTEMA MONÁRQUICO DE GOVERNO ELABORADO POR CÉSAR AUGUSTO REAPARECE EM 27 A.C.

O assassinato de Júlio César, em 44 a.C., marcaria o triste fim da República e também uma nova etapa na história romana. Em 27 a.C., o sistema monárquico estava de volta, ainda que não fosse assim denominado. Naquele ano, Otaviano já havia vencido todos os seus rivais e adotou o nome Augusto – com a alegação de estar aprimorando a República. Os historiadores contemporâneos são unânimes em dizer que se tratava de uma monarquia disfarçada e afirmam que tais governadores eram, na realidade, imperadores.

Independentemente disso, o grande mérito do novo sistema era ter posto fim a décadas de guerra civil. A concentração de poder nas mãos de um homem soberano trouxe de volta valores como a lealdade ao governante e sua família. Otaviano, por sua vez, manteve instituições importantes e já consagradas no ambiente romano – casos do Senado, da escada de cargos, das assembleias e dos tribunais. Enquanto isso, ele atuava como um imperador sem reivindicar os privilégios de tal posição.

DISPUTAS

Após a morte de Júlio César, a batalha pela vaga do tirano não foi tranquila. Mais guerras civis marcaram o momento. Os concorrentes iniciais foram Lépido e Marco Antônio – dois experientes generais –, além de Otaviano, sobrinho-neto de César, de apenas 19 anos. Esse último era um militar novato, cuja nova identidade como filho de César rendeu-lhe a lealdade daqueles soldados que tinham adorado o ditador.

Com o apoio dos militares veteranos de seu pai adotivo, que aguardavam pelo recebimento de recompensas pelo general morto, Otaviano estudava na Grécia. Assim, o jovem os enviou para lutar contra Marco Antônio no Norte da Itália. Depois de um triunfo inicial, ele marchou com seus homens para a capital. Lá, exigiu ser eleito cônsul, mesmo não tendo nenhuma experiência sequer em cargos públicos. Bastante amedrontados, os senadores concederam o posto a Otaviano. Essa foi, sem dúvida alguma, a maior exceção à tradição da escada de cargos.

Em seguida, Otaviano decidiu unir forças com Marco Antônio e Lépido para enfrentar nova guerra civil contra os seus inimigos na Itália. Eles venceram a batalha e, em novembro de 43 a.C., formaram um novo Triunvirato – governo de três líderes. Forçaram o Senado a reconhecer a aliança como uma disposição emergencial oficial para reconstrução do Estado. Juntos, triunfaram sobre o exército dos "libertadores", em 42 a.C., na Batalha de Filipos, norte da Grécia. No entanto, Otaviano e Marco Antônio conspiraram entre si para relegar Lépido a um cargo de importância menor. Ele ficou com o posto de governador da África do Norte, mas perdeu todo e qualquer poder de decisão com relação aos assuntos de Roma.

Dessa maneira, Marco Antônio e Otaviano passaram a dividir o controle romano. O primeiro detinha os territórios do Mediterrâneo Oriental – incluindo as terras do Egito. Já o segundo ficava com a Itália e o Ocidente. Porém, com o passar do tempo, a relação entre ambos ficou mais hostil.

Antônio uniu-se à rainha do Egito, Cleópatra VII. Sagaz, ela fez da relação mais do que um acordo de aliados: os dois tiveram uma relação amorosa. Como resposta, Otaviano reuniu os romanos e alegou que o rival tinha planos de fazer de Cleópatra a soberana estrangeira deles. Além disso, também transformou os habitantes da Itália e províncias ocidentais em clientes, obrigando-os a fazer juramento de lealdade a ele em 32 a.C. Foi desse modo que Otaviano conseguiu, em 31 a.C., vencer uma guerra naval contra Cleópatra e Antônio na costa de Ácio, no Noroeste da Grécia. Os amantes derrotados decidiram fugir para solo egípcio, onde teriam cometido suicídio um ano depois. Otaviano tomou para si o reino do Egito, muito rico em recursos diversos. Abastado e no comando de um exército poderoso, tornou-se um líder sem rival à altura e, de longe, o mais próspero da época.

> Os historiadores contam que Cleópatra VII decidiu dar fim à própria vida de um modo bastante inusitado. Ela teria permitido ser picada por uma cobra venenosa, símbolo de autoridade régia.

RESTAURAÇÃO DA REPÚBLICA?

Após a vitória, Otaviano – líder de um exército de clientes – distribuiu terras aos militares veteranos com o objetivo de criar povos fiéis a ele. No ano de 27 a.C., fez um comunicado público de que estava restaurando a República. Disse ainda que seria tarefa do Senado e do povo romano decidir a forma como o governo deveria ser preservado a partir daquele momento. Os senadores, contudo, reconheciam que Otaviano possuía um poder avassalador e imploraram a ele que continuasse com as rédeas da situação para proteger o Estado. Para tanto, concederam a ele o nome honorário de Augusto – que significava "favorecido dos deuses". Na ocasião, Otaviano pensou em mudar seu nome para Rômulo, o que o colocava como uma espécie de segundo fundador de Roma. Porém, ele avaliou que a alcunha de um rei era perigosa naquele momento político.

A realidade é que a forma de governo elaborada por Augusto atualmente é denominada principado, derivada do seu título de *princeps* – que significa "o primeiro". A escolha da designação "primeiro homem" foi uma verdadeira jogada de mestre. No período republicano, tal designação honorária era dada ao senador com o maior status, para quem os demais integrantes do Senado se voltavam em busca de orientação. Com isso, Augusto indicava de maneira implícita que continuava uma das mais valorizadas tradições republicanas.

Para reforçar a ideia de que estava apenas dando sequência à República, ele mantinha vivo o discurso de que só prosseguia como líder político por insistência dos senadores. Obrigava-os também a aprovar, periodicamente, a concessão de poderes de cônsul e tribuno mesmo sem exercer tais funções. Era desse modo que Augusto conseguia manter-se como uma espécie de imperador camuflado. César Augusto também decidiu prosseguir com a cerimônia tradicional. Vestia-se como um cidadão normal e não como um monarca.

A estrutura de governo, nos anos após 27 a.C., ajudou a manter a aparência republicana. As eleições anuais de cônsules e outros cargos, a existência do Senado e a aprovação de legislação nas Assembleias são alguns bons exemplos de práticas que asseguraram essa imagem. Isso ocorria porque o controle de Augusto era exercido no exército e no tesouro público. Essas instituições foram reconfiguradas com a intenção de garantir a manutenção do poder. O exército deixou de ser uma milícia de cidadãos para se tornar uma força permanente. A receita imperial foi usada para garantir os salários dos soldados e bonificação na aposentadoria. Para conseguir pagar demais custos, Augusto instituiu um imposto sobre as heranças. A tributação direta sobre os cidadãos, algo bastante raro, afetou sobremaneira os mais ricos, o que causou descontentamento.

ORDEM NA CASA

Com o passar do tempo, César Augusto decidiu concentrar a sua atenção na segurança do perímetro do Império. Em geral, a maior parte do exército cuidava das províncias para que fossem evitadas rebeliões internas e também invasões dos diversos povos estrangeiros.

A partir do ano de 27 a.C., o líder romano começou a colocar em posição soldados na própria capital. Tais homens eram chamados de pretorianos por conta da função original de estarem estacionados como guarda-costas perto da barraca (praetorium) de um comandante no campo. Essas tropas compunham a guarda imperial principal, ainda que o imperador contasse com um pequeno grupo de mercenários alemães – fiéis somente a ele – para a proteção pessoal. A existência desses agrupamentos foi uma forma de mostrar que a superioridade do governante era pela ameaça de força, não somente pela suposta autoridade moral em si.

IMAGEM

Mostrar a figura do imperador como um líder bem-sucedido e patrono generoso era de fundamental importância para garantir a estabilidade daquele sistema político. Para conseguir passar adiante esse conceito, Augusto utilizava as moedas como um meio de propaganda política. Nelas era possível ler mensagens que o proclamavam "restaurador da liberdade". Outras faziam menção a alguma obra importante por ele idealizada.

Augusto, aliás, enfatizava outra tradição romana: como um homem rico, usava o próprio dinheiro para erguer importantes construções pú-

---

EXÉRCITO DE AUGUSTO SOFRE DERROTA NA ALEMANHA

Sempre em obediência ao seu líder, os soldados aceitavam os desafios propostos sem hesitar. A gratidão pelo patrono movia aquele grupo de homens rumo a tarefas bastante perigosas.

Em uma delas, no ano de 9 d.C., Augusto designou as forças militares de Roma para uma expedição que tinha como objetivo expandir a dominação para a atual Alemanha. Contudo, as três legiões da missão foram exterminadas em uma emboscada na Floresta de Teutoburgo. O exército romano bateu em retirada e não alcançou seu grande objetivo.

A história conta que Augusto ficou em desespero, pois temia uma série de rebeliões e ataques. Além disso, na avaliação dele, os danos pela perda de tantos homens na guerra poderiam ser avassaladores. Segundo o escritor latino Caio Suetônio, nessa época, Augusto parou de se barbear e de cortar o cabelo por meses. Ele vagava pela residência em Roma e batia a cabeça em uma porta enquanto gritava contra o comandante morto da expedição: "Quintílio Varo, devolva minhas legiões".

blicas. Importante dizer que o imperador herdou uma enorme fortuna de Júlio César, além de ter multiplicado seus ganhos por meio dos confiscos de guerras e despojos conquistados, principalmente no Egito. Os projetos arquitetônicos dele não só garantiam melhorias nas instalações públicas, mas também passavam ao povo a mensagem de que seu imperador era alguém bastante generoso.

O novo fórum – uma praça pública ao lado do antigo Fórum Romano – foi totalmente custeado por Augusto. Segundo o historiador Thomas R. Martin, "a obra no centro da cidade ilustra inteiramente a sua habilidade em enviar mensagens claras aos populares por meio das pedras e estátuas". O Fórum de Augusto foi formalmente aberto em 2 a.C. e nele havia um templo para Marte (o deus romano da guerra) e Vênus (deusa do amor), que o imperador alegava ser a sua ancestral divina. O santuário foi construído como uma forma de agradecimento às divindades pelo triunfo diante das forças dos assassinos de César. Lá era exibida a espada de Júlio César como um memorial ao pai adotivo.

A preocupação de Augusto com sua imagem fica clara até mesmo no local de habitação. O imperador romano fez questão de edificar sua residência pessoal no monte Palatino, onde vivia modestamente. Tal fato, é claro, era muito bem divulgado com o objetivo de mostrá-lo como um cidadão comum. Já os imperadores que o sucederam não tiveram essa astúcia política e construíram palácios gigantescos na mesma colina com vista panorâmica para o Circo Máximo, local que abrigava corridas de bigas – um dos entretenimentos públicos favoritos de Roma.

Durante seu governo, Augusto ainda elaborou um longo documento. Ele queria que a carta, que descrevia todas as suas realizações como governante, fosse divulgada por toda parte depois de sua morte. Nela, Augusto afirma, em primeira pessoa, que sua carreira fora firmada nas tradições da República.

Em geral, os historiadores divergem sobre as reais intenções de César Augusto. Enquanto alguns o classificam como um imperador cruel e descarado que tinha apenas o objetivo de alcançar o poder suprimindo a liberdade da República, outros o consideram um reformador bem-intencionado que encontrou na monarquia maquiada uma maneira de superar um cenário anárquico.

Mesmo sofrendo com muitas doenças durante a sua vida, ele governou Roma até a morte, em 14 d.C., aos 75 anos de idade. Foram, ao todo, 41 anos de um longo reinado. Segundo observou o historiador Tácito um século depois, Augusto viveu tanto que, por volta da época em que morreu, "quase ninguém mais que havia visto a República estava vivo". Contudo, mesmo os mais jovens podiam perceber que o imperador trouxe uma rara estabilidade à sociedade de Roma, o que ajudou a transformá-la no grande império do período.

Imagem do Fórum de Augusto, obra totalmente custeada pelo imperador

DINASTIA JÚLIO-CLAUDIANA

Antes de morrer, Augusto arquitetou a sucessão de poder em Roma. Como não tinha herdeiro próprio, adotou Tibério, filho adulto do casamento anterior da esposa dele, Lívia. O rapaz apresentava um brilhante histórico militar. César, então, informou ao Senado que o exército queria que esse filho adotivo estivesse na linha sucessória.

Os senadores foram bastante prudentes ao confirmar a escolha de Augusto a esse respeito depois da morte do primeiro imperador. Integrantes da família de César – conhecidos como Júlio-Claudianos por causa dos nomes das linhagens da família de Augusto (julianos) e Tibério (claudianos) – continuaram a ocupar a posição de "primeiro homem" nos 50 anos seguintes com aprovação do Senado. Tibério assumiu o poder e permaneceu como imperador por 23 anos, até 37 d.C. O longo período de governo só foi possível por causa das qualificações dele: além da conexão familiar com o antecessor, o brilhante histórico de general garantia-lhe o respeito máximo de todo o exército romano.

O sucesso político, contudo, gerou perdas pessoais. Para tornar-se sucessor de César, precisou fortalecer os laços familiares. Augusto forçou Tibério a separar-se da esposa, Vipsânia, para desposar a filha dele, Júlia. Um matrimônio estritamente político e extremamente infeliz, pois ele amava muito a ex-mulher. Tibério nunca teria se recuperado por completo da tristeza. Tanto que passou a última década de vida recluso em um palácio na ilha de Capri, perto de Nápoles, e nunca mais voltou para Roma.

Mesmo com fama de poucos amigos e da impopularidade, Tibério conseguiu oferecer à nação um tempo tranquilo de transição. Era o período que o Império necessitava para que ficasse estabelecido um denominador comum entre o imperador e a elite, tão descontente na época de César Augusto. Ainda que governasse como um monarca, ele precisava da cooperação da classe alta nos cargos públicos da administração, de comandantes do exército e de líderes nas províncias. Enquanto essa relação fosse boa, governo e elite poderiam gozar de respeito e status. As classes mais abastadas continuavam se deleitando com o prestígio das funções de cônsules, pretores e senadores. Já os imperadores poderiam deixar o status superior evidente ao decidirem quem ocuparia tais postos. Assim, as Assembleias logo passaram a ser apenas autorizações automáticas para os anseios dos imperadores. Com isso, essas reuniões perderam muito de sua antiga força.

No ano de 23 d.C., Tibério decidiu construir um acampamento permanente na cidade para a guarda pretoriana. Isso facilitava a utilização dos homens para apoiá-lo caso fosse necessário agir com força. Ele teria morrido em seu leito por causas naturais mesmo. No entanto, um rumor espalhado pelo Império dava conta de que teria sido asfixiado. A notícia da morte dele, aliás, foi comemorada efusivamente por muitas pessoas.

CALÍGULA

Caio foi o sucessor de Tibério na dinastia Júlio-Claudiana. Mais conhecido como Calígula (12 a 41 d.C.), ele nutria um defeito letal dentro da política: apreciava demasiadamente o poder. Além disso, não havia construído uma sólida carreira militar como os demais líderes romanos. A verdade é que Tibério o escolheu para substituí-lo por ser bisneto da irmã de César Augusto.

Mesmo com a falta de tais atributos, Caio poderia ter alcançado sucesso na empreitada, pois, no começo de seu governo, possuía uma considerável apreciação do povo. Também entendia de assuntos militares, apesar da falta de maior experiência prática.

Contudo, ao receber poder sem limites, Calígula mostrou que não trazia consigo uma personalidade de liderança. Ele, na realidade, carregava no coração o desejo de satisfazer os seus interesses pessoais. O sucessor de Tibério governou cruelmente, usando da violência para tratar de diversos problemas. Também desperdiçou o dinheiro público para seu próprio gozo. Para preencher o rombo que abriu no tesouro, impôs novos impostos sobre vendas em todos os setores. Não havia refeição rápida na rua ou ato sexual realizado por uma prostituta que escapasse do tributo de Caio.

Vaidoso, ele ainda exagerou em sua conduta pública, labutando em combates gladiatórios simulados e fazendo aparições em palcos como cantor, ator e até vestido de mulher. Calígula ainda teria tido casos sexuais com as próprias irmãs. O comportamento do imperador ultrapassou todos os limites. Em 41 d.C., para colocar fim à sua farra, dois soldados da guarda pretoriana o mataram como vingança pelos insultos direcionados a eles.

AMEAÇA À DINASTIA

O período Júlio-Claudiano ficou em perigo após o assassinato de Calígula, pois ele não possuía filhos e o comportamento violento dele havia assustado sobremaneira a população de Roma. Quando da notícia do homicídio, uma parcela dos senadores movimentou-se com o objetivo de restaurar a República original. Porém, essa tentativa foi frustrada pela guarda pretoriana, que desejava que os imperadores continuassem como seus patronos. Os soldados literalmente arrastaram Cláudio – parente de Augusto que não evidenciava qualquer capacidade de governar – para o acampamento e, à força, fizeram o Senado proclamá-lo o novo soberano.

Cláudio, aos 50 anos de idade, assumiu o poder e mostrou competência no comando romano. Ele instaurou um precedente essencial ao governo do Império alistando homens da província de Gália Transalpina – Sudeste da França – no Senado pela primeira vez. Essa modificação abriu caminho para a importância de se ter províncias como clientes dos imperadores, cuja função era ajudar a manter o Império em paz e próspero. O governante ainda liberou o emprego de escravos libertos em cargos administrativos poderosos esperando deles lealdade.

O que Cláudio não esperava era pela traição da própria esposa, Agripina, que o envenenou em 54 d.C. Ela desejava que Nero (37 a 68 d.C.) – filho adolescente de um ex-marido – virasse imperador, em vez do próprio filho de Cláudio. Agripina alcançou o seu objetivo e naquele mesmo ano Nero assumiu o trono. O novo imperador apresentava uma personalidade difícil e também caiu nas perigosas armadilhas proporcionadas pelo poder absoluto. Não possuía treinamento militar adequado. Tampouco foi devidamente capacitado para governar um Império.

O que não faltava a Nero era a paixão por música e pela arte dramática. Assim, os luxuosos festivais públicos que organizava e o dinheiro distribuído às massas mantinham a sua popularidade nas alturas. Nero desprendeu quantias enormes apenas com os seus prazeres. Para conseguir mais dinheiro, costumava forjar acusações de traição contra cidadãos abastados. Assim, podia confiscar as suas propriedades.

Diante de um governo tão problemático e polêmico, os indignados comandantes das províncias apoiaram rebeliões contra ele. Os senadores também instituíram um levante. O fim da linha para Nero foi quando um dos comandantes dos pretorianos os subornou para desertarem o imperador. Em 68 d.C., com medo de ser preso e executado, não teve outra escolha: pediu a um servo para cortar sua própria garganta. Antes de morrer, teria exclamado: *Qualis artifex pereo!*, que em português quer dizer "Que artista morre comigo!".

NOVA DINASTIA

A morte de Nero deixou Roma sem um sucessor, pois ele não tinha filhos. Estava decretado o fim da dinastia Júlio-Claudiana. Por conta disso, em 68 d.C., uma guerra civil teve início entre os interessados em assumir o poder. O vencedor da batalha pelo posto de imperador romano foi o general Vespasiano. Com isso, em 69, ele empossou a família – os flavianos – como a nova dinastia.

Para dar legitimidade ao novo regime, Vespasiano obrigou o Senado a reconhecê-lo como governante com uma declaração bastante minuciosa dos poderes que passava a ter. Esta foi oficialmente transformada em lei. Com o objetivo de estimular a lealdade nas províncias, ele incentivou os integrantes das elites locais a participarem do culto imperial. Tais celebrações incluíam o sacrifício de animais aos deuses para o bem do imperador e, em certos casos, a adoração do próprio imperador. A veneração de líderes como verdadeiras divindades soava normal aos moradores das províncias, que já homenageavam reis locais desta forma há séculos, desde a época de Alexandre, o Grande, no século IV a.C.

Como o culto ao imperador já estava estabelecido no lado oriental do Império, Vespasiano buscou fortalecer a ideia entre os povos das províncias da Espanha, Sul da França e África do Norte. Contudo, na Itália o conceito não ganhou força entre aqueles habitantes. Os italianos, aliás, desdenhavam do culto imperial.

Em um período de estabilidade, Vespasiano seguiu soberanamente no poder até a sua morte, no ano de 79. Ele deixou o terreno preparado para a continuidade da nova dinastia que surgira.

CONTINUIDADE

A dinastia flaviana teve prosseguimento com os filhos de Vespasiano, Tito e Domiciano. Ambos, contudo, herdaram problemas profundos. Primeiramente, precisavam melhorar a vida do povo para prevenir as desordens. Em segundo lugar, tinham que esmerar-se na defesa contra invasões de outros povos nas fronteiras.

Tito ganhou fama no ano 70 ao derrotar uma rebelião de quatro anos entre os judeus onde hoje fica Israel e capturar Jerusalém. O Templo de Jerusalém, onde ocorriam os rituais do judaísmo, fora incendiado no ataque e nunca mais reconstruído. No pequeno período em que permaneceu no poder (79 a 81 d.C.), Tito ainda foi responsável por enviar ajuda às comunidades prejudicadas pela erupção vulcânica no Monte Vesúvio em 79 d.C.

Além das ações emergenciais, Tito ainda foi o provedor de diversão para as massas romanas. Ele concluiu o Coliseu, em 80 d.C., equipando a construção com imensos toldos para fornecer sombra à multidão. Tito faleceu no ano seguinte devido a causas naturais.

Domiciano, irmão dele, assumiu o posto em 81 d.C. e permaneceu até 96. Ele conduziu o exército no combate a invasores germânicos – do Norte até as áreas do Reno e do Danúbio. Era o início de perigosas batalhas fronteiriças que se intensificariam com o passar dos anos. Mas o que derrubou

Domiciano mesmo foi a arrogância. O historiador Suetônio relata que, ao comunicar seus desejos pessoalmente ou então por escrito, costumava afirmar: "Nosso Mestre e Deus, eu mesmo, ordena que façais isso". Ele ainda ampliou o seu palácio no monte Palatino para mais de 32 mil metros quadrados. Seu comportamento gerou descontentamento. Após o surgimento de uma conspiração dentro de sua própria residência, Domiciano foi assassinado em 18 de setembro de 96.

IDADE DE OURO

Nesse período, o assassinato de um imperador já não causava mais tanta turbulência política. Era apenas motivo para iniciar a busca por um novo nome que fosse de agrado do exército.

Os cinco imperadores seguintes estabeleceram um período de relativa paz em Roma. A época ficou conhecida como a Idade de Ouro política do Império, pois esses soberanos conseguiram providenciar tranquilidade por quase um século. Nerva governou de 96 a 98; Trajano ficou no poder entre 98 e 117; Adriano foi imperador entre 117 e 138; Antonino Pio esteve no trono romano entre 138 e 161; por fim, Marco Aurélio governou entre 161 e 180. Essa foi a dinastia dos Antoninos.

Trajano foi quem travou mais batalhas. Foram violentas campanhas que expandiram o Império rumo ao Norte – além do rio Danúbio até a atual Romênia – e para o Leste, até a Mesopotâmia (Iraque). Já o imperador Adriano combateu uma segunda rebelião judaica, o que transformou Jerusalém em uma colônia militar. Aurélio, por sua vez, passou muitos anos protegendo a região do Danúbio contra as tentativas de invasão.

Os cinco imperadores se sucederam um ao outro sem registros de casos de assassinatos ou conspiração. Os quatro primeiros, por não possuírem filhos, usaram a tradição romana de adotar adultos com o intuito de encontrar o melhor sucessor possível. Na área econômica, tudo caminhava bem: os impostos geravam boas receitas e o comércio exterior atingiu o seu auge. Além disso, o exército continuava obediente ao comando dos imperadores.

Foi o mais longo período da história romana sem uma guerra civil desde o século II a.C. A grande parte das províncias era pacífica nessa época. Assim, não eram necessárias as guarnições de tropas. Até mesmo a Gália, que resistira muito ao controle romano nos tempos de Júlio César, passou a ser controlada por poucos homens. A preocupação quase que exclusiva ficou com a manutenção da segurança nas fronteiras.

6

CRUELDADE E INSANIDADE NO TRONO

IMPERADORES ROMANOS ERAM GENIOSOS, EXCÊNTRICOS, CHEIOS DE MANIAS E ALGUNS DELES DEMONSTRAVAM UM COMPORTAMENTO ATROZ CONTRA SEUS PRÓPRIOS FAMILIARES E ADVERSÁRIOS

Responsável pela introdução do período imperial em Roma, César Augusto puxou a fila de líderes astutos que governaram com mãos de ferro. Ele deu a estabilidade ao ambiente político romano, mas, indiretamente, também abriu caminho para imperadores cruéis e habituados a condutas pouco ortodoxas.

A realidade é que os donos do poder tiveram atitudes das mais variadas. Algumas versões – nem todas confirmadas pelos historiadores – dão conta de que até um cavalo teria sido nomeado para um cargo público de bastante importância. Os imperadores também eram conhecidos pela crueldade e ganância, o que teria levado alguns até a matarem os seus familiares.

No entanto, certas atitudes – como, por exemplo, a prática do incesto – precisam ser relativizadas, pois ocorreram há quase 2 mil anos e em contextos completamente distintos dos dias de hoje. Nas próximas páginas, o leitor poderá conhecer mais detalhadamente o perfil e o comportamento de alguns desses homens.

CÉSAR AUGUSTO, O PRIMEIRO
IMPERADOR ENTRE 27 A.C. E 14 D.C.

Além de ter sido o primeiro imperador romano, não há dúvida de que Caio Júlio César Otaviano Augusto também foi um dos mais importantes. Ele nasceu na cidade de Roma – capital do Império – em setembro de 63 a.C. e morreu em agosto de 14 d.C. na comuna italiana de Nola. Augusto, que pertencia à dinastia Júlio-Claudiana, teve dois filhos, Maior e Júlia. Esteve no poder romano por 41 anos, de 16 de janeiro de 27 a.C. até a data de sua morte.

Durante seu governo, Otaviano organizou expedições militares na Récia, Panônia, Hispânia, Germânia, Arábia e África. Ainda pacificou as regiões dos Alpes e Hispânia. Além disso, anexou ao Império a Galácia e a Judeia. Muitos historiadores consideram o período de Augusto como um dos mais prósperos do Império, tanto no quesito econômico quanto no cultural.

Era conhecido como um governante moderado e enérgico. Implicitamente, queria deixar a imagem de um grande pai que restaurou a paz e a prosperidade ao povo devastado pela guerra de modo altruísta. Não há dúvida de que Augusto foi um patrono generoso aos mais pobres, forçando os ricos a fazerem contribuições financeiras para pagar o exército permanente e obras públicas. Contudo, atrás da benevolência estava escondido um veio de crueldade. Muita gente – inclusive amigos e parentes – foi assassinada nas proscrições de 43 a.C. Tantos outros cidadãos perderam suas casas nos confiscos que forneciam terras para veteranos do exército.

APARÊNCIA

Um século depois, Suetônio, biógrafo de Augusto, utilizou muitas expressões para exaltar a boa imagem do primeiro imperador de Roma. Ele ressaltava que Otaviano era "incomumente bonito e extremamente gracioso em todos os períodos de sua vida, embora não se importasse com nenhum adorno pessoal". O imperador também tinha olhos claros e brilhantes.

Por outro lado, o biógrafo relata que Augusto tinha dentes afastados, pequenos e mal conservados. O cabelo dele era ligeiramente cacheado e inclinado para dourado. Já as suas sobrancelhas se juntavam. Por outro lado, as suas imagens oficiais eram bastante controladas e idealizadas. Aos 19 anos, a face dele apareceu pela primeira vez em moedas, uma forma de destacar a imagem do imperador.

TIBÉRIO: EFICIENTE E MALDOSO
IMPERADOR ENTRE 14 E 37 D.C.

Tibério Cláudio Nero César, nascido no ano 42 a.C. e falecido em 37 d.C., foi imperador romano com a idade de 56 anos. Reinou desde a morte do padrasto, Augusto, em 14, até sua morte.

Era filho de um casamento anterior de Lívia, a terceira mulher de Augusto. Foi adotado e executou, a mando do então imperador, missões diplomáticas e militares. Os combates vitoriosos na Panônia e Germânia o credenciaram para ser o sucessor no Império.

Tibério não era a primeira opção de seu padrasto. No entanto, Augusto não teve outra escolha, já que todos os seus sucessivos herdeiros faleceram,

Estátua de mármore retrata Tibério: crueldade marcou o reinado do imperador

casos de Agripa, Marcelo, Lúcio e Gaio.

Na cerimônia em que anunciou Tibério como herdeiro do trono, César mostrou relutância. Tanto que, ao final do discurso, disse: "Faço isso por questões de Estado". A história não explica o motivo de não gostar do enteado, mas muitos acreditam que era pelo fato de não ser um lambe-botas e por afrontá-lo em diversas oportunidades.

Tibério passou boa parte do reinado em campanhas militares. Muitas asseguraram a expansão das fronteiras. Em uma dessas batalhas, perdeu o irmão, Druso, seu companheiro nas investidas.

Já o episódio do falecimento de seu sobrinho germânico, no Oriente, deu início a uma época de governo marcada pela violência e tirania. Em um estado de insanidade bastante acentuado, matou a própria esposa, Júlia, e o chefe da Guarda Pretoriana, Lúcio Élio Sejano. Também executou friamente seus familiares, cúmplices e amigos.

Nesse período, integrantes importantes da sociedade romana foram perseguidos, torturados e assassinados, principalmente na capital do Império. O reinado dele também é marcado pela crucificação de Jesus Cristo. O governo dele ajudou a impregnar a ideia do culto ao imperador e elevou o caráter materialista em Roma. Os pontos positivos foram a melhora nos serviços públicos, o equilíbrio nas finanças e o controle disciplinar do exército.

Em 26 d.C., Tibério parece cansado das intrigas políticas da Corte. Ele abandonou a capital e estabeleceu-se na Campânia. No ano seguinte foi para a ilha de Capri, onde passava o tempo com os intelectuais gregos. Faleceria naturalmente em 37. Contudo, muitos acreditam que ele teria sido assassinado no próprio leito, sob as ordens de Calígula, pelos homens da Guarda Pretoriana.

CALÍGULA E A DEVASSIDÃO MORAL
IMPERADOR ENTRE 37 E 41 D.C.

O pai de Caio Calígula era germânico, valente cônsul e general do Império Romano que faleceu com apenas 34 anos, provavelmente envenenado. Órfão muito pequenino, Calígula foi adotado pelo imperador Tibério e tinha

25 anos quando sucedeu o pai adotivo e foi nomeado imperador. Com o passar dos anos, ele obteve todos os títulos imperiais, inclusive o de Augusto César, que lhe garantia poder soberano sobre toda a nação.

Ele viveu desde os dois anos de idade no acampamento militar do pai. Era muito querido pelos soldados, que acompanharam o seu crescimento. Foram eles que lhe colocaram o apelido com o qual ficou famoso. Calígula é o diminutivo de caliga, o calçado militar usado pelos romanos.

Segundo o historiador Suetônio, Calígula teria participado do assassinato de seu pai adotivo. Tibério – que o designou como um de seus herdeiros – conhecia bem o seu caráter distorcido e afirmou que preparava uma víbora para o povo romano. De acordo com o próprio Tibério, Calígula possuía todos os vícios dos pais e nenhuma das virtudes.

O início liberal de seu governo parecia um bom presságio para a população. Porém, o imperador adoeceu por conta dos excessos e orgias. Quando estava finalmente recuperado, mostrou o seu lado maligno. Alguns historiadores acreditam que a doença fez com que ficasse demente. Nesse momento, começou a gastar de forma exorbitante e impor tributos muito elevados. A parte final do reinado de Calígula não teve freios.

Era conhecido pela completa devassidão na vida sexual. Foi acusado de ter transado com suas três irmãs. Contudo, a sua principal diversão era torturar condenados na frente dos familiares. Tomava as posses das vítimas e não admitia, de jeito algum, ser contrariado. Ele também foi acusado de determinar que criminosos fossem servidos vivos como refeição para animais selvagens.

Ele mantinha uma casa de prostituição e chegou a dar ordens para que estátuas fossem postas em locais de destaque em todos os templos, inclusive nas sinagogas de Jerusalém. Isso gerou conflito com os judeus, que não aceitavam de modo nenhum esse desejo do imperador. Calígula queria ser adorado como um verdadeiro deus.

Apesar de os soldados apoiarem as loucuras de seu líder, os oficiais da guarda se cansaram de tanta insanidade e decidiram acabar com seu governo desvairado. Numa conspiração que reuniu a guarda e senadores, o imperador foi assassinado num túnel que ligava o Palácio ao Fórum.

CLÁUDIO: AVANÇOS E POLÊMICAS
IMPERADOR ENTRE 41 E 54 D.C.

Nomeado imperador pelos pretorianos, Tibério Cláudio César Augusto Germânico nasceu em Lyon (10 a.C.) e morreu em Roma (54 d.C.). Filho de Nero Cláudio Druso e Antônia, ele era irmão mais jovem de Germânico, o sucessor natural ao trono. No entanto, este morreu em circunstâncias bastante estranhas: retornando de Antioquia, teria sido acometido de uma doença que se tornou fatal. O governador da Síria, Calpúrnio Piso, não gostava dele e foi acusado de envenená-lo ou amaldiçoá-lo. Cláudio, com apoio da Guarda

Pretoriana – que lutava contra o reestabelecimento da República proposto pelo Senado –, foi colocado como o grande líder do governo romano.

O imperador era coxo e gago. Quando criança, foi acometido por diferentes doenças. Isso fez com que seu corpo ficasse debilitado e sua mente sofresse com um ligeiro retardo. Era considerado um tolo pela própria mãe. Por outro lado, Cláudio confessou que fingiu ser retardado para passar despercebido a seu sobrinho, Calígula, sobrevivendo assim ao reinado de terror.

Cláudio foi muito dedicado à literatura durante seu governo. Iniciou, mas não terminou um trabalho sobre a história romana. Foram ainda mais de duas dezenas de livros sobre os etruscos e cartagineses, uma autobiografia e um projeto de reforma ortográfica.

Como conquistador, anexou, em 42, a Mauritânia, no norte da África, e, em 53, a ilha da Bretanha. Vinculou ao Império a Lícia, Judeia e Trácia, e promoveu a romanização das novas províncias.

Como benefício direto ao povo, executou obras públicas de suma importância, como a edificação de novos aquedutos – o que solucionou o problema de abastecimento em Roma –, a melhoria das estradas e a edificação de um porto em Óstia. O passatempo preferido de Cláudio era ver criminosos sendo torturados até a morte. Ele também mandou matar a terceira mulher dele, Messalina, e 300 amigos – inclusive o famoso ator Mnester. A verdade é que desconfiava que sua esposa promovia orgias com esses homens.

No fim, acabou sendo assassinado pela quarta esposa, Agripina II, depois que adotou o filho dela, Nero, como seu sucessor. Cláudio foi envenenado com cogumelos. Foi com César que a célebre frase dos gladiadores surgiu: "Ave Cesar. Nós que vamos morrer te saudamos".

NERO E SEU VERGONHOSO GOVERNO
IMPERADOR ENTRE 54 E 68 D.C.

Nascido em Antium no dia 15 de dezembro de 37 d.C., Tibério Nero Cláudio Domiciano César tornou-se soberano em Roma aos 17 anos de idade. A ascensão dele ao poder foi fruto de uma trama conjunta da mãe, Agripina, e do filósofo Sêneca, seu mestre. Eles convenceram Cláudio a adotá-lo um pouco antes de morrer.

Contudo, logo que assumiu o posto, Nero entrou em conflito com a mãe, que tinha como grande aspiração dominar Roma por meio do filho. Com o tempo, ela passou a cogitar a possibilidade de mudar o dono do trono. Sêneca, porém, providenciou a morte de um dos concorrentes.

O próprio Sêneca e o prefeito de Roma, Sexto Afrânio, eram os conselheiros de Nero. Os cinco primeiros anos do governo dele, aliás, foram considerados um dos períodos mais felizes do Império. Seus orientadores o deixavam se satisfazer com todas as suas paixões. Como contrapartida, precisava permitir ser guiado por eles no governo.

DECISÕES FOLCLÓRICAS

Cláudio não foi somente eficiente no governo e maldoso no trato com os inimigos. Ele também tomava medidas bizarras. A principal foi a liberação da livre flatulência durante os banquetes!

Enquanto isso, a mãe de Nero, Agripina, buscava recuperar a autoridade perdida junto ao filho. No entanto, em 59, o imperador mandou matá-la. Há quem diga que ela era seu único freio moral. Após o assassinato, Nero tornou-se um líder tirânico e, com o passar do tempo, ficaria conhecido como um dos mais vergonhosos de Roma. Ele se casou, então, com Popeia Sabina depois de se divorciar de Otávia, que foi assassinada logo em seguida também a mando dele.

Na mesma época, Sexto Afrânio faleceu e Nero nomeou para o cargo de conselheiro Ofrônio, um sujeito sem escrúpulos. A decisão do imperador levou Sêneca a renunciar ao seu posto.

O período foi marcado ainda pela loucura dele em ser admirado. A paixão inflamada de Nero pela arte dramática e pelos espetáculos o levou a atuar como poeta e músico. O desejo de ser famoso pelos mais variados feitos também o impulsionou a participar de corridas de biga, talvez o principal entretenimento do Império.

O incêndio que destruiu parte de Roma em 64 não teria sido a mando dele, apesar das muitas acusações. Nero decidiu, então, colocar a culpa nos cristãos, que já eram odiados e passaram a ser perseguidos. Segundo conta a tradição, ele teria mandado crucificar o apóstolo Pedro e decapitar Paulo de Tarso. Em 65, Nero, no auge de sua loucura, matou Popeia – que estava grávida – com um pontapé no ventre.

A maldade extrema e o desperdício dos recursos públicos fizeram com que a oposição a ele ganhasse um coro cada vez maior. Tais conspirações foram abafadas por três vezes e os envolvidos eram obrigados a cometer suicídio. Ficou paranoico. O pavor de ser morto o assombrava. Por conta disso, instalou um regime de terror e tentava se manter popular doando quantidades enormes de trigo.

No ano de 66, se casou com Messalina e viajou para um passeio de dois anos pelas ilhas gregas, um desejo muito antigo. No fim da viagem, Nero libertou a Grécia do domínio romano e a tornou um estado independente.

Contudo, no retorno à capital do Império, se deparou com uma situação caótica. Ocorriam naquele momento rebeliões nas mais importantes províncias de Roma, como Gália, Germânia, África, Lusitânia, Síria e Egito. Nero também foi traído por Ofrônio e deixou de ter a adesão da Guarda Pretoriana. Inimigo principal do Senado, Nero teve como única alternativa fugir e se matar. O suicídio aos 30 anos de idade acabou com a dinastia Júlio-Claudiana.

CRUELDADE E INSANIDADE NO TRONO

O filósofo Sêneca foi o grande tutor de Nero

Moeda com a face de Vespasiano, responsável por colocar Roma em ordem

RESSUSCITOU?

Mesmo depois de morrer, Nero continuou tendo um conceito bastante elevado entre os romanos pobres. Tanto é verdade que, por três vezes, muitos deles acreditaram que ele havia reaparecido no Oriente, o que ajudou a alimentar a lenda do "Nero redivivo".

VESPASIANO, O NORMAL
IMPERADOR ENTRE 69 E 79 D.C.

Tito Flávio Sabino Vespasiano nasceu no ano 9, na comarca dos Sabinos, próximo de Rieti, e morreu em 79. Ele acabou sendo proclamado imperador pelos soldados em Alexandria. Primeiro burguês a ascender a um cargo tão elevado e prestigiado, deu início à dinastia Flaviana.

Segundo afirmam historiadores, era muito simples e trabalhador. Colocou ordem no exército, pacificou as províncias e continuou com o processo de conquista de Bretanha. Ainda combateu rebelião judaica em 66 e a esmagou violentamente em 70, quando ocorreu a destruição de Jerusalém pelas mãos do coronel Tito, seu filho.

Ele também foi bastante eficaz na administração econômica, tanto na capital quanto nas províncias. Isso foi possível graças, sobretudo, ao aumento do tributo anual e à sensível diminuição nos gastos públicos. A boa saúde financeira do Império garantiu, inclusive, a arrecadação de fundos para a edificação do Templo da Paz – dedicado a Júpiter Capitolino – e também do Coliseu de Roma. Morreu de causas naturais.

BREVE REINADO DE TITO
IMPERADOR ENTRE 79 E 81 D.C.

Tito Flávio Vespasiano Augusto nasceu em 30 de dezembro de 39, em Roma. Era filho mais velho e sucessor de Vespasiano. Deixou o trono justamente por falecimento em 13 de setembro de 81. É mais lembrado como o general que, durante o reinado de Vespasiano, combateu rebelião na província da Judeia (no ano de 66) e destruiu Jerusalém (ano 70).

Durante o reinado dele ocorreu a famosa erupção do Vesúvio, que engoliu Pompeia, Herculano e Stabia em agosto de 79. Somente em Pompeia, foram 16 mil mortos, cerca de 80% da população da cidade.

Mesmo com a tragédia, a popularidade dele não diminuiu. Até os dias de hoje, pode-se observar pelo centro histórico de Roma obras em sua homenagem. A mais famosa é o Arco de Tito, peça de 15 metros de altura feita de mármore que celebra justamente a vitória na Judeia. Foram esculpidos na abóbada a mesa do pão ázimo, trombetas de prata e o candelabro de sete braços, símbolos do judaísmo.

A TIRANIA DE DOMICIANO
IMPERADOR ENTRE 81 E 96 D.C.

Tito Flávio Domiciano nasceu em 24 de outubro de 51. Foi designado imperador depois da morte do irmão mais velho, Tito, em 81. Há quem diga que a morte do irmão foi causada justamente por ele. Teria também executado friamente um primo durante seu governo.

Os abusos tiveram início, no entanto, quando seu pai Vespasiano ainda era imperador. Domiciano forçou Domícia Longina, legítima esposa de Elius Lamia, a se divorciar para casar com ele. Como imperador, limitou os poderes dos senadores, tomando para si a responsabilidade de designar governadores para as províncias, e criou o Conselho do Príncipe, que suplantou o Senado. Além disso, acumulou os títulos de cônsul e de censor perpétuo. Não bastasse, empenhou-se na reconstrução de monumentos, onde mandava gravar o seu nome sem nem mesmo mencionar a alcunha do fundador. Chegou também a proibir que erguessem estátuas dele no Capitólio que não fossem de ouro ou de prata.

Dono de um caráter reprovável, Domiciano foi muito pressionado e buscou garantir sua permanência no poder tornando-se sanguinário e cruel. Adversários eram torturados e mortos sumariamente. Com o passar dos anos, passou também a exigir ser tratado como um deus. Nessa época, deu início à segunda perseguição de cristãos.

Diante de tanta tirania, foi morto vítima de uma conspiração em 18 de setembro de 96. Teriam integrado o levante contra ele alguns de seus amigos e sua própria mulher, Domícia Longina. Após o assassinato, o Senado, horrorizado com aquela figura nefasta, decide declará-lo maldito e apaga seu nome dos monumentos romanos.

CRUELDADE E INSANIDADE NO TRONO

COLUNA DE TRAJANO

Em suas campanhas expansionistas, Trajano avançou sobre o dácios, que viviam em uma terra rica em ouro e prata – onde atualmente estão Romênia e Hungria.

A conquista territorial ocorreu depois de duas grandes guerras entre os anos de 101 e 105. A campanha militar é documentada no monumento chamado de Coluna de Trajano, que ainda hoje pode ser encontrado no centro de Roma.

A coluna de pedra, levantada em 113, diante do Fórum de Roma, está repleta de imagens do combate em baixo-relevo que sobem em espiral por todo o monumento. A coluna tem 30 metros de altura e mais de três metros e meio de diâmetro.

TRAJANO: ADMINISTRADOR NATO
IMPERADOR ENTRE 98 E 117 D.C.

Marco Úlpio Nerva Trajano nasceu em 18 de setembro de 53 na Hispânia. Era filho de uma família nobre e teve formação militar. Com 38 anos foi nomeado cônsul e adotado pelo imperador Nerva como o seu sucessor. As vitórias alcançadas em campanhas foram seu passaporte para angariar tanto prestígio.

Quando Nerva faleceu, Trajano recebeu apoio do Senado e demonstrou, com o tempo, ser um excelente administrador. Reorganizou o Império, recuperando a agricultura e o comércio e, mesmo diminuindo a carga tributária, promoveu obras importantes para os romanos. Liderou ainda conquistas territoriais que levaram Roma à sua extensão máxima na história.

A parte final de seu reinado foi marcada pelas guerras. Justamente retornando de uma batalha próxima do Mar Negro, Trajano faleceu, provavelmente de ataque cardíaco, no dia 8 de agosto de 117.

ADRIANO, UM AMANTE DAS ARTES
IMPERADOR ENTRE 117 E 138 D.C.

Nascido no ano de 76 em Itálica (atual Espanha), Adriano governou entre os anos de 117 e 138. Era sobrinho de Trajano, que foi também seu grande tutor. Ficou conhecido como um administrador muito hábil, além de um viajante incansável. Andou por todo o Império Romano para

Trajano ficou conhecido pela competência militar e administrativa

Adriano era imperador e poeta

avaliar a situação das províncias e garantir as adequações e reformulações que precisavam.

Ele ainda implementou uma profunda reforma na administração e, no ano de 131, editou um código de leis para ser aplicado em todo o Império, o Edito Perpétuo. Trata-se de uma compilação judicial que regeu Roma até o tempo de Justiniano.

Adriano abandonou as campanhas de Trajano na Mesopotâmia e adotou uma política defensiva, fortificando as fronteiras do Império Romano. Em solo inglês, mandou edificar em 112 o Muro de Adriano, que marcou durante séculos a fronteira entre a Inglaterra e a Escócia para defendê-la dos povos do norte.

Mas o governo não foi a sua maior paixão. Ele gostava era mesmo das letras e das artes em geral. Em seu leito de morte, produziu o poema Anímula, que significa pequena alma:

> "Pequena alma terna flutuante,
> Companheira e hóspede do corpo
> Agora se prepara para descer a lugares
> Pálidos, árduos, nus
> Onde não terás mais os devaneios costumeiros."

Adriano ainda inspirou-se na cultura grega para deixar Roma mais bonita. O império encheu-se de monumentos: ele mandou construir a Vila de Adriano, a ponte de Sant'Angelo e o castelo de mesmo nome, seu mausoléu.

Antonino ficou conhecido como um sujeito desapegado do poder

PRINCÍPIO DA PRESUNÇÃO DE INOCÊNCIA
Muito justo, Antonino Pio reuniu, durante seu mandato, uma equipe de especialistas em leis que o auxiliaram no trabalho de revisão da legislação romana. Ainda hoje lhe é creditado o princípio de que todo homem deve ser considerado inocente até que seja provado o contrário.

ANTONINO PIO, O SERENO
IMPERADOR ENTRE 138 E 161 D.C.

Imperador romano entre 138 e 161, Antonino Pio contrasta com muitas das amargas figuras que comandaram o Império. Ele nasceu em Lanúvio, em 86, e vinha da burguesia tradicional de Lácio. Era um homem que nutria respeito pelas pessoas e divindades. Chegou a ser chamado de Imperador perfeito pela doçura, ar sereno e desapego pela glória. Além de tudo, aceitava de bom grado um conselho amigo.

Diferente da maioria dos imperadores romanos, Antonino amava muito a sua mulher. Um dos mais bem preservados monumentos do Fórum, em Roma, é o Templo de Antonino e Faustina, que foi construído em 141 a.C. em honra à sua esposa. O local foi depois dedicado ao imperador na data de sua morte, em 161.

O FILÓSOFO MARCO AURÉLIO
IMPERADOR ENTRE 121 E 180 D.C.

Nascido em 26 de abril de 121, em Roma, Marco Aurélio Antonino era de uma família de aristocratas, mas, quando criança, perdeu os pais. Foi adotado pelo tio Aurélio Antonino – que mais tarde seria imperador. Pouco tempo depois, foi nomeado o seu sucessor.

Com 11 anos, conheceu as ideias do estoicismo – doutrina que coloca a extirpação das paixões e a aceitação resignada do destino como marcas do homem sábio. Dedicou-se ao estudo da filosofia e um pouco de retórica. Formado, ocupou o cargo de cônsul por três vezes. Após a morte de Antonino, vira imperador junto com Lúcio Vero. Quando este morre, em 169, torna-se o único dono do trono.

O governo de Marco Aurélio foi marcado por guerras prolongadas e por uma série de dificuldades internas. Ele foi excelente guerreiro e administrador e, ao mesmo tempo, humanizou ao extremo o exercício do poder.

Quando possível, entregava-se à reflexão filosófica e escrevia seus pensamentos em língua grega. Tornou-se assim o terceiro e último expoente do estoicismo romano. O conteúdo de suas "Meditações" é marcado por essa filosofia, mas um estoicismo distante das doutrinas de Zenão, fundador dessa linha de pensamento. As especulações físicas e lógicas cedem lugar ao caráter prático dos romanos e ao aconselhamento moral.

AS LOUCURAS DE CÔMODO
IMPERADOR ENTRE 177 E 192 D.C.

Cômodo pode ser definido como um menino mimado. O filho de Marco Aurélio e Faustina nasceu em 31 de agosto de 161. Foi feito César por seu pai com somente 5 anos de idade e, aos 16, tornou-se Augusto. Participou d as guerras do Danúbio por dois anos junto com o pai. Virou único imperador com a morte de Marco Aurélio em 180.

A realidade é que Cômodo não estava nem um pouco interessado nos assuntos ligados ao governo nem ao Império. Sua vida era uma eterna festa, com um harém de 300 mulheres e 300 homens. Por conta de sua falta de comprometimento, teve ao menos o bom senso de escolher indivíduos capazes para a administração das províncias.

Era um sujeito bastante singular. Ao contrário de seu pai, apreciava muito as lutas e chegou a participar, inclusive, dos embates dos gladiadores. Contudo, diferentemente do que acontecia nas disputas comuns, o imperador não corria perigo: os adversários sempre o deixavam vencer e depois tinham a vida poupada. Como maluquice pouca é bobagem, Cômodo acreditava ser o semideus Hércules e exigia que todos o adorassem.

Mandou assassinar sua irmã Lucila e senadores que conspiravam contra ele. Porém, seus desmandos tiveram um fim. Ele foi estrangulado por um de seus aliados durante o banho. No governo de Septímio Severo, Cômodo acabou divinizado.

Cômodo levava uma vida totalmente desregrada

CARACALA: MAIS UM INSANO NO PODER
IMPERADOR ENTRE 211 E 217 D.C.

Nasceu em 4 de abril de 188 na atual Lyon, França. Era filho do imperador Septímio Severo e Júlia Domna. Governou Roma por seis anos. Seus feitos administrativos ficaram bem menos conhecidos do que suas atitudes insanas.

Logo depois que deixou a adolescência, a instabilidade psicológica dele gerava muita preocupação de todos que o rodeavam. Conta-se que, certo dia, tentou esfaquear o próprio pai pelas costas diante de todo o exército romano. Também detestava a esposa e condenou-a ao exílio antes de mandar matá-la.

HELIOGÁBALO
IMPERADOR ENTRE 218 E 222 D.C.

Heliogábalo era outro que tinha um comportamento muito excêntrico. Para se ter uma ideia, ele se castrou publicamente em nome de um culto religioso. Em outro episódio, tentou impor aos romanos a adoração de um deus estrangeiro.

ALEXANDRE, O GRANDE
O imperador Caracala era considerado um admirador fanático de Alexandre, o Grande. Assim, sem qualquer cerimônia, começou a usar as mesmas roupas e a se comportar como ele.

Imperador Heliogábalo castrou-se por causa de um culto religioso

7

PÃO E CIRCO: SOLUÇÃO PARA UM IMPÉRIO DESIGUAL

NEM MESMO A IMPONÊNCIA DE SUAS CONSTRUÇÕES E AS VITÓRIAS MILITARES CONSEGUIRAM ESCONDER AS DIFERENÇAS SOCIAIS PRESENTES NA ROMA ANTIGA; IMPLANTAÇÃO DE POLÍTICA POPULISTA FOI UMA FORMA DE ABAFAR OS PROBLEMAS

A capital do Império Romano fundada no século VIII a.C., é considerada uma das cidades pioneiras no Ocidente quando o assunto é organização. Essa sociedade teve como base a civilização da Grécia Antiga. Assim, Roma conseguiu fortalecer os costumes, aperfeiçoar os seus sistemas político e também religioso, além de estruturar o comércio e a área habitacional como um todo. Tratava-se de um bom exemplo de gestão eficiente, uma vez que era o centro desse imenso Império – o domínio ia desde a Península Ibérica até o Egito e a Síria.

Contudo, além de trazerem enriquecimento, as conquistas também fizeram com que os problemas sociais aflorassem intensamente a partir do século II a.C. Durante o seu auge, a cidade de Roma ficou próxima da marca de dois milhões de habitantes. Esse enorme grupo de moradores era formado por homens e mulheres de classes sociais bem distintas. Havia uma parcela de camponeses que perderam os seus trabalhos nas lavouras por conta da escravidão, além de artistas de rua, artesãos, membros da plebe, integrantes da nobreza e ainda políticos.

Dessa maneira, as diferenças poderiam ser verificadas com facilidade mesmo pelo mais alienado forasteiro. Aqueles que compunham a elite eram donos de vistosas residências e palácios requintados. Já o restante da população – a imensa maioria – se apertava em prédios de vários

PÃO E CIRCO: SOLUÇÃO PARA UM IMPÉRIO DESIGUAL

Gravura mostra artistas de rua se apresentando nas ruas da Roma Antiga

andares com apartamentos pequenos sem cozinha e banheiro. Parecia somente uma questão de tempo para problemas urbanos maiores começarem a aparecer.

ONDE SURGIRAM OS PROBLEMAS

A expansão territorial do Império, ainda na época republicana, foi primordial para as profundas transformações sociais em Roma. Logo de cara, a economia, que tinha um aspecto agropastoril, passou a disputar espaço com um sistema de comércio muito bem articulado entre as diversas regiões localizadas nas proximidades do Mediterrâneo.

O aumento no número de escravos disponíveis para o trabalho gerou também uma elevação da oferta de alimentos. Enquanto isso, os magistrados e generais se beneficiavam por meio da administração e arrecadação de tributos nas províncias da nova potência. Paralelamente, o controle dos patrícios sobre o Senado fez com que essa classe enriquecesse ainda mais com o alargamento das propriedades e o grande uso da mão de obra escrava.

Se, por um lado, havia uma incrível e crescente produção de riquezas, por outro, esse novo cenário trouxe imensos prejuízos aos pequenos proprietários de terras, pois esses não conseguiam mais competir em pé de igualdade com os preços dos alimentos oferecidos pelos astutos patrícios. Além disso, os plebeus perderam oportunidade de trabalho por conta da utilização dos escravos nas lavouras e pastos.

Já os outros plebeus que faziam parte das longas fileiras do exército de Roma passaram a se beneficiar com a conquista de terra e servos. Esses integrantes da classe plebeia, conhecidos como cavaleiros, ganharam con-

SEGREDOS DO IMPÉRIO ROMANO

Paisagem atual de Roma: construções onde os pobres viviam eram precárias

sideráveis quantias de dinheiro através da cobrança de tributos, distribuição de alimentos aos exércitos, arrendamento de áreas florestais e minas, além da construção de pontes e estradas. O pleno controle sobre essas atividades foi reforçado quando os senadores e seus descendentes acabaram sendo proibidos de exercer qualquer atividade que não fosse agrícola.

Por sua vez, aqueles plebeus que não conseguiam enriquecer foram obrigados a se desfazer de suas terras vendendo para algum grande proprietário. Sem alternativa, iam para a cidade. Lá chegando, enfrentavam outro grande problema: a falta de vagas de emprego. O fácil acesso à força de trabalho escravo estreitava as oportunidades.

ESGOTO E SAÚDE

Inúmeras obras de infraestrutura na Roma Antiga eram invejáveis naquela época. A arquitetura e a engenharia foram vastamente utilizadas na região para levar serviços públicos de qualidade à capital. Aquedutos que impressionavam pela engenhosidade, estádios – caso do famoso Coliseu – e jardins especiais eram algumas das especialidades do povo romano.

O grande problema, porém, é que a maioria absoluta dessas intervenções trazia benefícios somente aos mais abastados. Um exemplo claro disso eram as redes de esgoto – que foram construídas para garantir o destino certo dos dejetos das casas – elaboradas exclusivamente nas localidades mais nobres da capital.

Essa situação impunha uma dificuldade extra: sem um sistema adequado, o restante da população romana era simplesmente obrigado a lançar os excrementos pelas janelas dos apartamentos. Algumas outras pessoas desciam com os baldes até a rua para que fossem esvaziados por pessoas que ganhavam a vida coletando os dejetos para vender a agricultores, que os usavam como fertilizantes. Não era só o cheiro horrível pelas ruas que trazia extremo incômodo, uma vez que a prática também elevava consideravelmente o risco de propagação de sérias doenças por contaminação.

Os funcionários públicos tentavam garantir que esses resíduos fossem descartados fora das áreas residenciais da cidade, mas eram em um número muito limitado para impor essa regra com eficiência. Durante o governo de Augusto (27 a.C. – 14 d.C.), os residentes em Roma geravam, aproximadamente, 60 toneladas de resíduo humano por dia. Escavações arqueológicas mostraram a existência, no Monte Esquilino, de centenas de poços profundos repletos de uma mistura em decomposição de cadáveres, carcaças de animais e esgoto de todo tipo não muito longe do centro da cidade. Essa área estava demarcada com avisos como: "Caio Séntio, filho de Caio, como pretor e por ordem do Senado, estabeleceu essa linha de pedras de delimitação para marcar a área que deve ser mantida livre de sujeira, carcaças de animais e cadáveres. Também é estritamente proibido queimar cadáveres aqui".

Com o problema sanitário, cada vez mais gente ficava enferma. A impossibilidade de manter a cidade limpa significava que moscas estavam presentes em quase todos os lugares e que as pessoas tinham problemas intestinais frequentes causados por comida e água contaminadas. Para piorar, não havia tratamento médico adequado. Como só os mais ricos tinham algum amparo medicinal, muitas pessoas simplesmente padeciam sem qualquer perspectiva de serem curadas.

Vale ressaltar que mesmo os nobres corriam riscos, pois a medicina ainda engatinhava. Em geral, os tratamentos romanos empregavam ervas medicinais, cuja forma curativa os pais revelavam aos filhos como tradição, passando a herança de geração em geração. Aos remédios feitos em casa ajuntavam um pouco de feitiçaria. Sobre o doente eram impostas fórmulas místicas e, muitas vezes, extravagantes. Acreditava-se, por exemplo, na possibilidade de expulsão da enfermidade. Para se ter uma ideia, os mais ricos da época utilizavam uma joia popular que, de acordo com a crença, evitava dores de estômago.

AGLOMERADOS

A infraestrutura na cidade de Roma não crescia na mesma velocidade que a população urbana. Uma quantidade cada vez maior de edifícios era construída para dar conta de tanta gente que chegava para se instalar na capital. Porém, essa medida estava longe de ser suficiente para sanar as principais dificuldades. As ruas começaram a ficar superlotadas. As vias eram o local de trabalho de diferentes profissionais: comerciantes e trabalhadores se aglomeravam em espaços sufocantes. Diversos vendedores ambulantes faziam das vias públicas o único balcão de exposição de suas mercadorias. Outros que disputavam os espaços públicos eram os saltimbancos (atores que se apresentavam nas ruas) e os adestradores de animais. As carruagens e liteiras – cadeiras utilizadas para transportar os ricos – dividiam espaço com toda essa gente e o trânsito era intenso demais.

Além disso, os prédios da cidade corriam sérios riscos de cair. Apesar do conhecimento no uso de pedra, concreto e tijolo, os engenheiros romanos não possuíam tecnologia suficiente para calcular precisamente quanta tensão as edificações conseguiam aguentar. Outro problema era que os construtores buscavam, de todas as maneiras possíveis, diminuir os gastos sem levar em consideração os meios de proteção de engenharia. Essa situação fez o imperador César Augusto limitar em 21 metros a altura dos prédios de apartamento.

Os edifícios dos mais pobres também estavam suscetíveis a inundações, uma vez que ficavam em áreas baixas. Já as colinas ensolaradas abrigavam as suntuosas residências dos ricos.

A situação caótica gerou um desconforto muito grande entre os populares. Diante do assustador cenário urbano, os plebeus passaram a pensar que poderiam fazer reivindicações contundentes para obterem melhorias e condições de vida mais dignas. Assim, deram início a algumas revoltas. As manifestações, entretanto, eram enfrentadas com violência pelo exército romano e foram rapidamente abafadas.

Por volta do século I a.C., o grande número de escravos também transformou essa classe subalterna em um vigoroso e ameaçador agente político do mundo romano. Em 71 a. C., o gladiador Espártaco organizou uma revolta que reuniu dezenas de milhares de escravos contra as tropas do exército romano. Graças à ação dos generais romanos, o levante foi contido. Mesmo assim, ficou o alerta para as crescentes tensões dentro do território que poderiam ocasionar até mesmo uma guerra civil. Já passava da hora de o governo agir para evitar a total perda de controle da situação interna. Bastava saber qual seria o plano a ser executado pelos líderes.

PÃO E CIRCO

Para apaziguar os ânimos, o Império Romano buscou adotar uma ação que assegurasse, ao menos, uma alimentação adequada à população mais carente. Foi instituída por César Augusto a política do Pão e Circo (*panem et circenses*, no original em latim). A frase, aliás, tem origem na Sátira X do poeta e humorista romano Juvenal, que viveu por volta do ano 100 d.C. No seu contexto original, o artista criticava a falta de informação do povo, que, segundo ele, não nutria qualquer interesse em assuntos ligados à política e só queria mesmo alimento e diversão.

Nessa época, o Coliseu e outros grandes estádios foram construídos para a realização de lutas de gladiadores – que passaram a ser grandes espetáculos – e corrida de bigas, por exemplo. Durante tais eventos, a população comparecia para se distrair, mas também recebia fartamente alimentos e trigo. Além disso, outro costume dos imperadores era a distribuição mensal de cereais no Pórtico de Minucius.

De modo geral, esses "agrados" ao povo eram a garantia de que a plebe não morreria de fome e tampouco de aborrecimento. A vantagem de tal prática era que, ao mesmo tempo em que a população ficava contente e apaziguada, a popularidade do imperador entre os mais humildes se consolidava. Era a melhor e mais imediata maneira de manter o povo sob o controle governamental.

ALIMENTO

Importante destacar que a distribuição de grãos a preço de custo ou até mesmo gratuitamente era uma tradição de décadas, bem antes da adoção dessa política mais populista. Durante praticamente toda a época da República, o suprimento de cereais era parte das tarefas dos chamados edis. Esse suprimento era personificado como uma deusa e a cota de cereais acabava por ser distribuída a partir do templo de Ceres.

Em 440 a.C., o Senado de Roma nomeou um oficial para a função: o prefeito das provisões. O dono do cargo tinha grandes poderes. O suprimento de cereais de emergência era uma importante fonte de influência e poder para o cônsul Pompeu Magno (106 a.C. – 48 a.C.) no final de sua carreira. Nos tempos de principado, a posição de prefeito das provisões tornou-se permanente e uma série de privilégios, incluindo concessões de cidadania e isenção de deveres, era oferecida aos capitães de navios que assinassem contratos de transporte de cereais para a cidade.

Augusto, no entanto, elevou o montante de cidadãos atendidos utilizando a sua fortuna pessoal para comprar os grãos importados. Estima-se que o primeiro imperador romano beneficiava cerca de 250 mil homens. Uma vez que muitos tinham famílias, estatísticas sugerem que até 700 mil pessoas dependiam do regime dele para obter os alimentos básicos.

Os pobres transformavam o grão – que não era o mais adequado para assar pães – em um mingau aguado, que vinha acompanhado por um vinho barato. Com mais sorte, poderiam ter ainda feijão, alho-poró e até alguns pedaços de carne. Enquanto isso, os ricos se deliciavam com pratos mais agradáveis, como porco assado ou lagosta.

A maior parte do suprimento acabava sendo conseguida através do mercado livre. Isso porque os valores em Roma eram muito elevados, já que os comerciantes buscavam lucrar demasiadamente. O interessante é que os cereais também eram coletados como tributo em certas províncias por soldados e oficiais, que depois os revendiam.

Com o tempo, o suprimento ganhou um status maior. Durante o reinado de Septímio Severo (193 – 211), foi acrescentado o azeite à cota. Contudo, no governo de Aureliano (270 – 275), foi realizada uma grande reorganização da provisão. Ele teria cessado a distribuição de cereais. No lugar, passou a dar ou vender por um preço baixo pão, sal, carne de porco e vinho. Essas medidas continuaram com seus sucessores.

Com a desvalorização da moeda, no século III, o exército romano começou a ser pago com suprimentos e também em espécie por uma pesada administração de coleta e redistribuição de suprimentos. O papel do estado na disponibilização de cereais continuou sendo um ponto central de sua unidade e poder.

DIVERSÕES

Os passatempos romanos não eram tão diversificados. Concentravam-se basicamente nas corridas de bigas, espetáculos teatrais, lutas de gladiadores, espetáculos com animais selvagens e batalhas navais. Esses divertimentos públicos eram incentivados e pagos pelo governo ou então por patrícios.

Os palcos desse eram os estádios ou anfiteatros, edifícios ovais ou circulares com arquibancadas e uma arena no meio, onde ocorriam apresentações, combates e outros tipos de jogos. Nos dias dos espetáculos, havia o costume de músicos tocarem. Os instrumentos mais comuns eram liras, flautas, címbalos, gaitas, cornetas e chocalhos.

GLADIADORES

Os combates entre os gladiadores tornaram-se um dos principais entretenimentos romanos. Contudo, pouca gente conhece a realidade desses lutadores. O gladiador, em geral, era um escravo na Roma Antiga. O termo usado para se referir a esses homens que eram forçados a brigar vem de gládio, nome dado a uma espada curta e de dois gumes que empunhavam.

De acordo com os historiadores, os primeiros registros sobre lutas de gladiadores em território romano datam de 286 a.C. Todavia, sabe-se que esse foi um "esporte" inventado pelo povo etrusco. Logo, as lutas agradaram os habitantes de Roma. O sucesso foi quase imediato e atraía uma quantidade cada vez maior de pessoas.

Originalmente, os combatentes se digladiavam na arena e só era declarado um vencedor de fato quando um deles morria, ficava sem suas armas ou sem condições de combater. Havia sempre um responsável – uma espécie de árbitro – que determinava se o homem derrotado deveria ser morto ou não. Nesses casos, o povo presente nas arquibancadas tinha uma fortíssima influência na decisão. Usualmente, os torcedores se manifestavam apontando a mão fechada com o dedo polegar para baixo, o que significava que queriam o assassinato do perdedor. Contudo, nem sempre a morte era desejada e o dedo polegar para cima era sinal de que o derrotado teria a sua vida poupada naquele momento.

Por diversos séculos, os gladiadores não só lutaram entre si, como também contra animais ferozes vindos do território africano. Além de escravos, prisioneiros de guerra e autores de crimes considerados mais graves eram participantes frequentes dos sangrentos embates.

Para lutar, os gladiadores passavam por rígidos treinamentos em escolas especializadas em combates de arena. Eles recebiam ainda um tratamento especial nos intervalos dos embates e não costumavam lutar mais do que três vezes por ano. Dessa maneira, ser um gladiador era muito mais vantajoso do que um escravo romano comum e ainda por cima era uma oportunidade única de receber reconhecimento do público em geral.

Quando viajavam para lutar em outras cidades, se deslocavam em grupos conhecidos como famílias e iam acompanhados até por treinadores. E, ao contrário do que muitos possam imaginar, os gladiadores geralmente eram vegetarianos.

Para equilibrar as batalhas, os lutadores eram separados por categorias, que eram as seguintes: trácios, murmillos, retiários, secutores e dimachaeri. Estudos feitos em esqueletos desses combatentes mostraram que os derrotados que eram julgados pela plateia costumavam ser mortos por um golpe na jugular. Quando o lutador estava muito debilitado, ficava de quatro e recebia uma forte pancada nas costas que chegava diretamente ao coração.

Para a realização dos espetáculos, eram reservados aproximadamente 182 dias no ano. Após muitos séculos de lutas de gladiadores, o cristianismo baniu esses combates com a proibição oficial do imperador Constantino I, em 325. As lutas, contudo, continuaram por mais um século clandestinamente. Somente o papa Inocêncio I e o imperador Honório conseguiram decretar o fim definitivo da prática.

COLISEU

Certas construções são verdadeiros símbolos de localidades específicas e sua cultura. Assim era o Coliseu, sinônimo das lutas entre os gladiadores. Majestoso, tinha mais conforto do que muitos estádios de futebol modernos.

A construção teve início em 72 d.C., por ordem do imperador Flávio Vespasiano, que tomou a decisão de erguer a arena no lugar de um antigo palácio de Nero, seu antecessor no trono romano. A grandiosa obra levou oito anos para ser concluída e, quando estava totalmente pronta, Roma já era governada pelo filho de Vespasiano, o general Tito. Para prestar uma homenagem ao pai, ele batizou o local com o nome de "Anfiteatro Vespasiano". A capacidade de público girava em torno de 50 mil pessoas e o espaço de luta – a arena propriamente dita – media 85 por 53 metros.

Segundo alguns historiadores, provavelmente o nome Coliseu seria dado somente algumas centenas de anos depois, talvez já no século XI.

Teria surgido inspirado no Colosso de Nero, uma suntuosa estátua feita de bronze com uma altura estimada de 35 metros. A peça fica justamente ao lado do anfiteatro.

As primeiras lutas disputadas para comemorar a finalização do Coliseu teriam durado cerca de 100 dias. Somente nesse período, estima-se que centenas de gladiadores e mais de 5 mil animais selvagens e ferozes teriam caído mortos no local. Os jogos faziam o público ensandecido ir ao delírio. Além das arquibancadas, que ficavam a três metros do chão, havia um camarote bastante próximo à arena destinado ao imperador de Roma. Do local, os lutadores faziam a saudação que ficaria mundialmente conhecida através dos séculos: "Salve, César! Aqueles que vão morrer te saúdam".

CORRIDAS DE BIGA

A biga foi um carro de combate bastante utilizado na Antiguidade. É muito comum vermos em manifestações artísticas e filmes que representam o período. A biga era um importante recurso para combates. Basicamente, tratava-se de um modelo de carro de guerra movido por dois cavalos puxando uma carroceria suportada por duas rodas na qual os combatentes se deslocavam.

Mas o meio de transporte e luta não era uma exclusividade romana. A biga foi utilizada em diversas partes do mundo antigo e obteve sucesso e repercussão por causa da invenção dos aros na roda. O alívio e a distribuição do peso cansavam menos os cavalos, que, em geral, eram pequenos demais para suportar o peso dos combatentes por muito tempo nos campos de batalha.

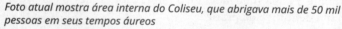

Foto atual mostra área interna do Coliseu, que abrigava mais de 50 mil pessoas em seus tempos áureos

Logo, o veículo também passou a ser usado para incrementar o entretenimento da política do Pão e Circo. Com os romanos, a modalidade chegou a ter conotações de Fórmula 1 da Antiguidade, com equipes estruturadas, patrocinadores e pilotos bastante requisitados.

As equipes se dividiam por cores. Existiam corridas de dois cavalos (bigas) e com quatro cavalos (quadrigas). Os corredores podiam ser escravos ou homens livres, mas ganhavam muito dinheiro e poderiam tornar-se ricos e famosos. O problema é que os veículos tinham pouca estabilidade e uma tendência bem grande de virarem nas curvas. As equipes pertenciam a particulares e os prêmios eram altos. O insano imperador Nero participava das corridas – e ganhava sempre por ser o governador. As corridas de carros só deixaram de existir em Roma com o colapso do Estado.

Era um dos passatempos favoritos da população. Uma distração que ajudava a perpetuar as diferenças sociais entre os cidadãos, que ficavam entorpecidos com a diversão proporcionada pelo Império.

Depois da proibição das lutas, no século IV, o Coliseu teve diversos outros usos. Chegou, por exemplo, a ser empregado como cenário para simulações de batalhas navais, ocasiões em que a área ocupada pela arena ficava completamente alagada. Na Idade Média, o mármore e o bronze da estrutura foram sendo saqueados paulatinamente e utilizados para ornamentar igrejas e demais monumentos católicos. Peças de mármore do anfiteatro foram empregadas até mesmo na construção da famosa Basílica de São Pedro, no Vaticano. Já no século XI, o Coliseu foi transformado em fortaleza, abrigando integrantes de uma família nobre, os Frangipane, que usaram a edificação para se proteger em seus combates contra grupos rivais.

Mesmo em ruínas nos dias de hoje, o Coliseu ainda inspira uma majestade que impressiona turistas de todo o mundo que visitam a capital italiana. Localizado justamente no centro da cidade, recebe, por ano, mais de 3 milhões de visitantes. Quem circula dentro dele pode sentir ao menos um pouco do clima do grandioso anfiteatro.

FIM DAS MEDIDAS POPULISTAS

Mesmo com o sucesso obtido, a política populista do "Pão e Circo" não conseguiu sobreviver para sempre. A capital, Roma, sofreu um processo de esvaziamento por conta da insatisfação popular, das invasões de outros povos e da proliferação de doenças e pestes. Junto com o próprio Império foi-se também a prática, que funcionou de maneira bastante eficiente enquanto a base da política romana mantinha-se forte.

Há quem acredite que, até os dias de hoje, muitos governos se utilizam de medidas semelhantes para conseguirem manipular as massas. Para esses, a tática adotada em Roma há quase 2 mil anos ainda tem funcionalidade por meio de eventos esportivos e programas televisivos de maior apelo.

8

UMA ECONOMIA IMPERIAL

MESMO EM MEIO A GUERRAS E CONFLITOS INTERNOS, A ROMA ANTIGA MANTEVE-SE PUJANTE ECONOMICAMENTE DURANTE MUITO TEMPO

A economia romana foi a base da força do Império em seus séculos de domínio. Como reflexo de todas as riquezas adquiridas, destacavam-se as construções imponentes na capital e um exército muito poderoso e temido por todos os povos do mundo antigo. Mesmo com os problemas sociais crescentes no decorrer dos anos, o poderio financeiro da potência manteve-se em alta e só foi abalado com a derrocada de Roma a partir do século IV.

Contudo, antes da vasta expansão territorial, o setor econômico era alicerçado pelas diversificadas atividades agrícolas. A agricultura e a pecuária foram as atividades que desempenharam um papel fundamental, uma vez que 90% da população vivia no campo. Os principais produtos eram típicos da cultura mediterrânea: cereais, azeitonas, frutos, vinho, além da criação de gado. Os mais ricos possuíam grandes propriedades agrícolas. Já os imensos latifúndios eram cultivados por escravos.

Nesse momento da história romana, não havia transações monetárias. O comércio e o artesanato, por sua vez, eram ainda bem pouco desenvolvidos.

Com a integração de vastos territórios no Império, assistiu-se ao crescimento progressivo do comércio, favorecido pela Pax Romana. As diferentes províncias romanas possuíam recursos diferentes e intensificaram as trocas comerciais entre si, apoiadas por uma vasta rede de estradas, rios navegáveis e o mar Mediterrâneo, onde o transporte marítimo era mais seguro e também mais barato.

Chegavam a Roma produtos de todo o Império. Esse crescimento comercial fez aumentar a produção agrícola e artesanal, assim como a circulação de moeda. As cidades do Império ganharam dinamismo, em especial os pontos privilegiados de comércio, onde proliferaram as pequenas oficinas artesanais, atraindo os camponeses para as cidades à procura de melhores condições de vida. Estava estabelecido um período de intenso êxodo rural.

As cidades constituíam o centro da vida política e administrativa do Império, onde os imperadores e os mais abastados escolhiam construir edifícios públicos – balneários, teatros e anfiteatros – para conseguir atrair habitantes. No século II a.C. já existiam em todo o Império cerca de 4 mil cidades.

Ocorria uma tendência acentuada de especialização nos setores de manufatura, agricultura e também mineração. Certas províncias eram mais voltadas para o cultivo de determinados tipos de produtos, como os grãos no Egito e na África do Norte e o vinho e azeite na Itália, Hispânia e ainda Grécia.

Entretanto, o conhecimento da economia romana é considerado irregular e inconstante. A grande maioria dos produtos comercializados, sendo de origem agrícola, normalmente não deixa evidência arqueológica direta. Muito excepcionalmente, como em Berenice, há evidência de comércio de longa distância em pimenta, amêndoas, avelãs, pinhão, nozes, coco, damascos e pêssegos, além dos comércios mais esperados (como figos, passas e alcaparras). As vendas de vinho, azeite e garum (molho de peixe fermentado) eram feitas em ânforas, excepcionalmente, deixando para trás registros arqueológicos. Por outro lado, existe uma única referência na Síria de exportação de marmelada para a capital Roma.

O que se sabe com certeza é que as exportações cresceram e os romanos seguiram pelo caminho de um desenvolvimento econômico bastante acentuado. Diante do cenário favorável, os centros urbanos se alargaram, uma vez que a construção de novas estradas e o trabalho escravo formavam um cenário bem propício.

TÉCNICAS DE AGRICULTURA

Os métodos para alcançar um melhor rendimento na agricultura romana – a irrigação, a drenagem e ainda a recuperação de terras – garantiram um adequado fornecimento de mantimentos que fez aumentar com rapidez as populações urbanas.

Nas secas terras do Mediterrâneo criaram-se reservas de água para a irrigação mediante a construção de grandes e sofisticados açudes.

Em contrapartida, nas terras ao leste da Bretanha e na planície do Pó, as terras baixas pantanosas eram recuperadas por meio de extensas redes de canais de drenagem. O emprego de moinhos de água também é conhecido desde a Roma Antiga.

COMÉRCIO

As transações comerciais em Roma foram extremamente importantes durante a maior parte da época imperial. Há quem negligencie atualmente esse setor. No entanto, não há como negar que o comércio ajudou não apenas a expandir a língua franca-latina, como também a sustentar as façanhas das legiões. Vale dizer que os romanos eram homens de negócios e a longevidade do Império deve-se, em grande parte, às relações comerciais.

A sociedade local mostrava que era segmentada em torno das áreas e atividades comerciais. Os integrantes do Senado e os seus filhos, por exemplo, ficavam restritos ao envolvimento no comércio. Os membros da ordem equestre eram conhecidos por diversificarem mais os seus negócios, ainda que os de classe superior tivessem ênfase maior em atividades militares e de lazer. Já os plebeus e libertos mantinham lojas e barracas em mercados. Enquanto isso, uma incontável quantidade de escravos realizava toda espécie de trabalho pesado. Esses próprios servos, aliás, eram objeto de transações comerciais bastante lucrativas.

UNIDADES DE MEDIDA

Os habitantes da Roma Antiga eram conhecidos como engenheiros muito sofisticados. Dessa forma, eles tinham unidades bem definidas de medição de comprimentos, pesos e distâncias. O sistema romano de medição foi construído com base no sistema grego e também em algumas influências egípcias. As unidades de peso romanas eram conhecidas pela precisão. As distâncias acabavam sendo medidas e, sistematicamente, inscritas em pedras por agentes do governo.

Para negociação comercial, a ânfora era uma base conveniente de medida de líquido. Ela continha um pé cúbico romano, o equivalente a cerca de sete litros. A ânfora padrão – a capitolina – era mantida no templo de Júpiter no Capitólio, em Roma, para que outros pudessem comparar sua ânfora a ela.

Embora o Egito e algumas províncias emitissem as suas próprias moedas, os romanos conseguiram padronizar razoavelmente essa relação no câmbio monetário por volta do século II a.C., o que contribuiu muito para facilitar o comércio na principal cidade da potência.

CALCULADORA ROMANA

A complicada contabilidade do comércio de Roma era realizada, sobretudo, por meio de quadros e com o ábaco.

O segundo, que usava algarismos romanos, era ideal para a contagem da moeda e ainda registrar medidas de peso.

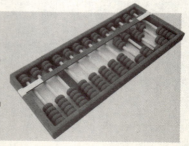

Imagem do denário, uma das moedas usadas no Império Romano

As moedas romanas, em circulação durante a maior parte da República e do Império Romano do Ocidente, incluíam o áureo[1] (feito de ouro); o denário (de prata); o sestércio e o dupôndio (ambos de bronze); além do asse (feito de cobre). Essas denominações foram utilizadas até meados do século III. Após as reformas, as moedas em circulação passaram a ser, basicamente, o soldo (cunhado em ouro) e algumas denominações menores de bronze, que perduraram até o fim do Império Romano do Ocidente.

NEGOCIATAS

A sociedade romana era caracterizada também pela presença dos chamados negociadores – atuantes principalmente nos últimos anos da República. Eles eram cidadãos estabelecidos nas províncias que emprestavam dinheiro com a cobrança de juros. Ainda comercializavam cereais com o objetivo de especular e ganhar com o aumento de preços do principal alimento daquele tempo. Costumavam enviar os grãos para Roma e também para fora dos limites da fronteira.

Todavia, o negócio principal deles era mesmo a cessão de dinheiro com cobrança de juros. Portanto, as palavras negociador, negociata e negociação foram utilizadas com esse sentido naquele período. Segundo o filósofo Cícero, eles eram simplesmente "homens de negócios" e teriam sido fundamentais para a organização dos mercados, investimentos em transporte e disponibilização de crédito que ajudavam na realização de novos empreendimentos. O termo "negociador" era tido em mais alta reputação. Muitos deles acumularam fortunas significativas nas províncias. No século I, seus descendentes, em sua maioria, seguiram para Roma como senadores provinciais.

Já os mercadores eram, habitualmente, plebeus ou então homens libertos. Eles podiam ser vistos em praticamente todas as feiras ao ar livre, em lojas ou em barracas vendendo mercadorias à beira das estradas. Os mercadores também marcavam presença nas proximidades de acampamentos militares romanos durante as diversas campanhas que o exército participava. Vendiam alimentos e roupas aos soldados e costumavam pagar em dinheiro vivo por qualquer espólio proveniente das vitórias nos campos de batalha.

Na Roma Antiga, outro grupo conhecido era o dos argentários, que trabalhavam como agentes em leilões públicos ou privados comercializando moedas. Tais cidadãos mantinham depósitos de dinheiro para outros indi-

---

[1] Trata-se da moeda representada na capa, equivalente a 25 denários de prata. (N. do E.)

víduos, descontavam cheques – chamados prescrições – e serviam como casas de câmbio. O curioso é que eles mantinham em seu poder livros rigorosos, que eram considerados como prova jurídica pelos tribunais em caso de falta de pagamento. Por vezes, os argentários realizavam o mesmo tipo de trabalho dos mensários, banqueiros públicos nomeados pelo Estado romano. Eles recebiam os juros sobre o empréstimo bem como um valor referente à comissão, conhecida como mercê. Alguns argentários, conhecidos como coadores, cobravam dívidas e faziam leilões, enquanto outros argentários eram assistidos por coadores que coletavam as dívidas para eles.

Por fim, no século III, aproximadamente, os mascates eram aqueles que vagavam pelo Império Romano e compunham a menor instituição comercial ambulante que se tem conhecimento na Antiguidade. Esses comerciantes itinerantes trabalhavam levando especiarias e perfumes para os habitantes das regiões rurais e mais afastadas dos grandes centros.

ESCRAVOS

A mão de obra escrava sustentava de forma importante o comércio romano. Esses servos participavam dos processos de produção, transporte e ainda venda de mercadorias. De acordo com estimativas, metade de todos os escravos em Roma era de propriedade da classe alta. Além disso, 50% deles trabalhavam na zona rural, onde eram apenas uma pequena porcentagem da população, com exceção de algumas propriedades agrícolas. A outra metade compunha uma porcentagem significativa de 25% nas cidades. Nesses locais, se tornavam empregadas domésticas, prostitutas ou trabalhadores em empresas comerciais, de construção e manufatura. Na época das conquistas, diversos novos escravos foram adquiridos por comerciantes no atacado. Eram homens capturados que estavam com os exércitos romanos.

Segundo historiadores, muitas pessoas que compravam escravos queriam pessoas mais fortes, preferencialmente do sexo masculino. Não há consenso sobre os valores de crianças escravizadas. Algumas fontes indicam que elas tinham um custo inferior a um adulto, enquanto outras informam que o preço era bem maior.

No momento da aquisição de um escravo, esses eram apresentados nus ao comprador interessado. Isso porque os romanos queriam saber

VENDA POR ATACADO

Certa vez, o tirano Júlio César teria vendido como escrava toda a população de uma região conquistada na Gália. Os revendedores adquiriram nada menos do que 53 mil pessoas!

exatamente o que estavam adquirindo. O comprador tinha até seis meses para devolver um escravo se esse viesse "com algum defeito" não revelado no ato da venda. Outra alternativa era o comerciante compensar financeiramente a perda. Já os servos que eram comercializados sem quaisquer garantias utilizavam uma touca no momento do leilão.

INFRAESTRUTURA COMERCIAL

Na Roma Antiga, o principal centro comercial era o Fórum Cupedino. Esse mercado vendeu inúmeras iguarias durante muitos anos. Tempos depois, o espaço passou a ser mais conhecido como Fórum Magno. A região atraía a maior parte do tráfego comercial. Originalmente, foi utilizado para a disputa de jogos esportivos e com a finalidade de abrigar o comércio de todos os tipos imagináveis. Contudo, mais tarde, tornou-se o centro político e bancário, onde negociadores, argentários e mensários mantinham os seus escritórios.

Já o fórum comercial ou mercantil – conhecido como Venálio – passou a existir nos tempos do Império por conta da acelerada expansão da cidade e do aumento nos negócios nas províncias. Ao menos outros quatro grandes mercados abasteciam toda aquela grande região. Além disso, seis fóruns comerciais de menor tamanho eram especializados na venda de produtos mais específicos: Fórum Boário (voltado ao comércio de gado); Fórum Holitório (produtos relacionados à horticultura); Fórum Suário (comércio de carnes suínas); Fórum Piscário (peixes e frutos do mar); Fórum Pistório (pães em geral); e Fórum Vinário (bebidas, principalmente os vinhos).

O Fórum Romano atraía a grande parte do tráfego de pessoas. Mesmo assim, todos os locais precisavam de uma infraestrutura adequada para compradores e vendedores terem acesso facilitado às mercadorias disponíveis. As novas cidades, como, por exemplo, Timgad (localizada na atual Argélia), foram estabelecidas segundo um plano ortogonal de estradas que facilitou o transporte e também o comércio. As localidades estavam ligadas por vias de boa qualidade. Rios navegáveis foram outro modo de condução amplamente usado, além de alguns canais escavados. Toda essa vasta estrutura foi descoberta em muitos trabalhos de escavação arqueológica no decorrer dos tempos.

POR TERRA E MAR

Segundo o historiador romano Lívio, no ano de 752 a.C. foram estabelecidas as primeiras colônias romanas. Todos os assentamentos, sobretudo aqueles menores, estavam localizados em posições estrategicamente importantes. Tanto antes quanto depois do Império Romano, localizações consideradas mais seguras foram as favoritas para pequenos assentamentos. Isso porque a pirataria fazia das atividades comerciais realizadas no povoado costeiro uma prática extremamente perigosa.

Em 67 a.C., depois de uma batalha contra piratas e a consolidação da marinha de Roma, já sob o comando de Augusto, essa ameaça foi praticamente dilacerada. Por outro lado, o mau tempo, os mapas de baixa precisão e os rústicos equipamentos de navegação eram capazes de causar enormes estragos em um comboio. Mesmo assim, não havia, naquele tempo, um modo melhor e mais eficaz de transportar cargas do que por meio de embarcações.

O tipo de navio comumente usado pelos romanos era conhecido como Córbita. Tais embarcações podiam transportar até 600 passageiros ou 6 mil ânforas de barro de vinho, óleo e outros líquidos semelhantes. Esses navios transportavam em um curto período de tempo mais mercadorias do que poderiam ser transferidas por terra. Uma embarcação desse tipo levava, por exemplo, entre duas e três semanas – dependendo das condições climáticas – para ir do Egito até Roma. A fim de elevar a eficácia do transporte marítimo, os romanos desenvolveram portos profundos em locais chave. Um dos maiores portos estava em Óstia, a quase 25 quilômetros de Roma, na costa do Mediterrâneo. No ano de 50 d.C., um farol foi criado no local para orientar os navegadores. No seu auge, Roma colocou faróis em 40 locais diferentes para ajudar a navegação.

Mesmo antes do estabelecimento da República, o reino romano estava envolvido em comércio regular usando o Tibre. Essa proximidade com o rio desempenhou um papel fundamental no desenvolvimento econômico da cidade porque as mercadorias que provinham do mar tinham que subir pelo curso das águas para serem dirigidas para a Etrúria e também para a Campânia grega.

Dessa maneira, Roma era capaz de monopolizar o tráfego terrestre, uma vez que estava situada na interseção das principais estradas do inte-

Ruínas do Fórum Magno, que abrigava, entre outras coisas, um grande mercado

Trecho da Rota da Seda que passa pelo atual Cazaquistão

rior italiano. Além desse fator, pela incidência de importantes salinas nas proximidades da cidade, Roma conseguiu se transformar em um ponto de mercado praticamente perfeito da "via do sal", que anos mais tarde seria conhecida como via Salária.

ROTA DA SEDA

Esse importante caminho mercantil possibilitava o transporte de mercadorias diversas entre o Oriente e a Europa. Suas inúmeras rotas interconectadas através do Sul da Ásia eram utilizadas – como o nome sugere – sobretudo para o comércio de seda. Essa importante passagem era dividida em rotas do norte e do sul por conta da presença de centros comerciais nas duas extremidades da China. A Rota da Seda norte atravessava o Leste Europeu, a Península da Crimeia, o Mar Negro, o Mar de Mármara, passando pelos Bálcãs e chegava, por fim, à Itália. A rota sul percorria Turcomenistão, Mesopotâmia e Anatólia. Chegando a esse ponto, se dividia em rotas que levavam à Síria ou ao Egito e ao norte da África.

A Rota da Seda marítima foi aberta entre Jiaozhi (Vietnã moderno) – controlada pelos chineses – e os territórios nabateus na costa noroeste do Mar Vermelho. Muito provavelmente inaugurada no século I d.C., estendia-se pelo litoral da Índia e Sri Lanka e pelos portos controlados por Roma, entre eles, os principais portos do Egito. Os mercadores transportavam pela Rota da Seda produtos diversificados.

Além da seda, ouro, prata, cobre, ferro, chumbo, bronze, escravos, tartarugas, cavalos, ursos, conchas, marfim, âmbar, vidro, jade, cravo, canela, coentro, noz-moscada, cardamomo, linho, tapetes, ervas medicinais, chás, joias, artefatos de metal, madeira, cerâmicas, porcelanas e obras de arte. Em direção à China seguiam produtos de beleza e maquilagem, diamantes, pérolas, corais e vidros de manufatura ocidental.

A expressão Rota da Seda foi cunhada somente no século XIX pelo estudioso alemão Ferdinand von Richthofen. Ela se tornou o maior eixo comercial de todos os tempos. Os segredos de fabricação da seda – objeto do desejo dos ricos da Europa e mundo árabe – eram dominados pelos chineses. Por isso, o material foi escolhido como símbolo dessa gigantesca rede de comunicação terrestre.

SAARA

Os camelos tinham importância fundamental nos transportes de mercadorias feitos pelo conhecido e desafiante deserto do Saara. Com o auxílio do resistente animal, o comércio transaariano chegou ao auge inicialmente no século I a.C. diante da ascensão do Império Romano. Por aquela região fluíam mercadorias como ouro, escravos, marfim e animais exóticos em intercâmbio com itens de luxo provenientes da capital Roma.

ROTA DO INCENSO

Esse outro importante caminho ligava o reino oriental a Gaza. As rotas de caravanas de camelos através dos desertos da Arábia e os portos ao longo da costa do sul da Arábia faziam parte de uma vasta rede de comércio.

O incenso e a mirra, extremamente valorizados na Antiguidade como perfumes, só poderiam ser conseguidos a partir de árvores plantadas no sul da Arábia, Etiópia e Somália. Os mercadores árabes transportavam para Roma não só incenso e mirra, mas também especiarias, ouro, marfim, pérolas, pedras preciosas e tecidos.

A partir do século I d.C., as boas relações entre o Reino de Meroé, na Núbia, e os governantes romanos do Egito contribuíram para a expansão do comércio através do Mar Vermelho e do Oceano Índico.

ROTA DO ÂMBAR

Antes do nascimento de Jesus Cristo, esse caminho já ligava o Mar do Norte e o Mar Báltico à Itália, Grécia, Mar Negro e Egito. A rota permaneceu ativa por muitos anos e era importante para escoar produtos como o próprio âmbar, uma resina fóssil muito utilizada na confecção de objetos ornamentais. Os principais trechos fluviais eram feitos pelo Vístula e Dniepre.

Com a expansão do território romano até o Danúbio, já no começo do século I sob os governos de César Augusto e Tibério, a Rota do Âmbar tornou-se uma estrada romana dentro da área pertencente ao Império. O trecho romano da Rota do Âmbar pode ser encontrado nos registros da Tabula Peutingeriana (mapa que mostra a rede de estradas do Império Romano). Segundo relatos, a estrada oferecia maior segurança no período de inverno ligando Carnuntum, no Danúbio, a Aquileia, na Itália.

> O âmbar sempre esteve envolvido com crenças. Muitos povos antigos criam em seu dom medicinal, utilizando a resina em pó misturada com mel para combater a asma, a gota e ainda a peste negra.
> Ele atuava também na esfera mística, na luta contra espíritos maus. Não à toa, nota-se a sua presença em talismãs, terços e incensos para espantar energias ruins.

PROVÍNCIAS PRÓSPERAS

As regiões dominadas por Roma também cresceram muito economicamente no período imperial. Na parte final do século II d.C., quase todas as províncias eram praticamente autossuficientes em artigos de produção em série.

ÁSIA

Essa província era uma das mais prósperas e de maior desenvolvimento cultural. O estabelecimento do domínio romano trouxe uma época de certa paz que permitiu o crescimento econômico de cidades como Éfeso, Pérgamo, Esmirna, Sardes e Mileto.

Belíssimas localidades apareceram não apenas no sul e no oeste da península, mas também na região central. Em todas essas cidades havia obras monumentais, tais como ágoras, ginásios, estádios, teatros, banhos e outras edificações, sendo muitas delas em mármore. Havia ainda estradas pavimentadas com mármore e água canalizada via aquedutos a partir de fontes.

HISPÂNICA

A presença de Roma auxiliou no rápido avanço econômico local. Se antes as atividades eram mais rudimentares, com o avanço do Império a região passou a ostentar uma atividade agrícola com bom aproveitamento do solo e de várias culturas, como trigo, oliveiras, frutas e vinhas. Os romanos implantaram as trocas comerciais, incentivaram a circulação da moeda, trouxeram o arado de madeira, as forjas, lagares, aquedutos, estradas e pontes.

Além disso, as populações, que anteriormente ficavam predominantemente nas montanhas, passaram a ocupar os vales e as planícies. As moradias de tijolo cobertas com telha eram um bom exemplo de avanço nos tipos de construção também. Com isso, surgiram cidades importantes como Braga, Beja e Cacém (todas no atual território de Portugal).

A indústria se desenvolveu, principalmente a olaria, minas, tecelagem e as pedreiras, o que ajudou a ampliar substancialmente o comércio, que passou a contar com feiras e mercados. Toda essa estrutura era apoiada por uma extensa rede viária.

BRETANHA

A riqueza natural foi um dos principais motivos para a conquista de Roma. A região contava com quantidades enormes de estanho e ferro. Prata e ouro também estavam bem presentes na região, o que se tornou importante para abastecer Roma, pois as minas da Hispânia encontravam-se quase esgotadas.

Nas planícies, tanto as cidades como as fazendas eram bem integradas à economia mercantil. Londres e outras antigas cidades da Bretanha desenvolveram-se e prosperaram durante os dois primeiros séculos de administração romana. Eram exportados ouro, prata, ferro, estanho, grãos, carne e lã.

A partir da época em que os limites de fronteira foram fortificados na Bretanha, sob os imperadores Adriano (117 – 138 d.C.) e Pio (138 – 161 d.C.), surgiu ao sul da muralha fronteiriça um espaço de próspera atividade econômica. Investidores extraíam de lá chumbo, prata, ferro e sal.

MACEDÔNIA

Nessa província, a economia foi muito estimulada pela edificação da via Egnácia – estrada feita pelos romanos no século II a.C. –, pela chegada de mercadores nas cidades e ainda pela fundação de colônias romanas. Com ricas pastagens aráveis, as famílias dominantes adquiriram grandes fortunas com o trabalho escravo.

A melhoria nas condições de vida das classes produtivas acarretou um aumento no número de artesãos na província. Pedreiros, mineiros e ferreiros eram usados em todo tipo de atividades comerciais e artesanais.

A economia de exportação foi baseada essencialmente na agricultura e pecuária. O ferro, o cobre e o ouro, junto com produtos como madeira, resina, breu, linho, cânhamo e peixes, também foram bastante exportados. Portos como Dion, Pela e Tessalônica apresentaram um grande crescimento no período romano.

EGITO

Com muito prestígio, a província egípcia era importantíssima para Roma. E não era para menos: fornecia o trigo necessário para a capital e era uma localidade fácil de ser defendida de ataques externos. Além do trigo, havia plantações fartas de uva para a produção de vinho em grande quantidade. Além disso, os imperadores romanos ainda tinham o monopólio sobre as minas, as salinas e a produção de papiros.

Diante da descoberta dos ventos de monções do Oceano Índico – uma ocorrência climática periódica que beneficia as atividades agrícolas –, Alexandria passou a ser o centro do comércio entre Oriente e Ocidente e a segunda cidade mais importante do Império Romano (atrás apenas, é claro, de Roma). Alexandria era um grande armazém, recebia e exportava os produtos do Egito e os materiais exóticos da Índia e do Oriente, trazidos nas épocas das monções aos portos do Mar Vermelho e transportados para o Nilo por todo o deserto.

SÍRIA

A região foi outra que prosperou demasiadamente com o advento do domínio romano. A Síria exportava abundantemente resina, madeira, cerâmica, linho, lã, pano, grãos, frutas e, especialmente, os corantes. O de cor roxa, retirado de moluscos na costa síria, tinha um particular valor. Os portos e as rotas com o Oriente Extremo tiveram grande importância na economia local.

Cidades como Alepo, Antioquia, Palmira e Damasco ficaram extremamente ricas com o comércio de sedas, madeira de cedro, perfumes, joias, vinhos e especiarias. Cresceram tanto que se tornaram os principais centros comercias da Síria romana.

GERMÂNIA

Localizada às margens do rio Reno, de forma bastante rápida virou um importante centro de comércio romano ao norte dos Alpes. Mesmo nos dias de hoje, ainda há alguns traços daquele período, como partes da muralha romana, alguns dos portões e o aqueduto. Até hoje o mapa da cidade de Colônia espelha a rede de ruas e avenidas da época romana.

Naqueles campos eram cultivadas qualidades de cereais mais rentáveis e criadas raças de gado e cavalo maiores. As plantações de uva se estendiam pelas regiões do Reno, Mosel e Neckar. Praticamente todos os tipos de frutas que conhecemos hoje, como cerejas e peras, eram colhidos por lá. Da mesma forma, aspargo, salsão e acelga tinham espaço nas terras cultiváveis. Até o final do domínio dos romanos, o número de plantas comestíveis no sul da Germânia dobrou.

ÁFRICA PROCONSULAR

O cultivo da terra se tornou uma tarefa bastante lucrativa nessa região. Ainda no primeiro século, a terra fértil ao sul de Cartago produziu quantidades significativas de trigo. Já no século seguinte, as culturas acabaram sendo diversificadas e os olivais foram uma boa fonte de lucro. Além disso, pomares e vinhas movimentaram a economia da África Proconsular. A pecuária também teve um papel econômico muito importante, com gado ovino e bovino, cabras e cavalos. Essas criações garantiam excelentes lucros.

As estradas foram imprescindíveis para o avanço agrícola, pois permitiam que os produtos fossem levados com facilidade para os mercados das cidades. Com relação ao Império, as vias possibilitavam que uma importante indústria de exportação funcionasse. Em portos famosos, como o de Cartago, os navios partiam para Roma lotados de trigo, cerâmica, mármore, entre outras valiosas mercadorias.

Ruínas da cidade de Alexandria, centro do comércio entre o Oriente e o Ocidente

ITÁLIA

A localidade teve sucesso maior no cultivo de milho, trigo, cevada, azeitona e uva. Na região central da Itália eram manufaturados utensílios domésticos que serviam para equipar o exército romano na Gália e Germânia. Tais itens eram negociados fora dos limites do império, na Bretanha e norte europeu.

No início da Era cristã, o comércio de cerâmica, cujo principal centro de produção era Arezzo, na Itália, abastecia o mercado romano, bem como as províncias ocidentais, do norte e sudeste do Império.

JUDEIA

Por causa de sua posição estratégica, a Judeia era uma região de trânsito. Por lá passavam soldados, comerciantes, mensageiros e ainda diplomatas. A região tinha importantes centros urbanos, como Cesareia Marítima, Gaza e Jerusalém, que concentravam pessoas e atividades econômicas. Assim como em outras áreas do Império, nessa região existiam vias e portos, que facilitavam o transporte de mercadorias e também a comunicação.

O comércio era largamente praticado. Internamente, ocorriam trocas locais que visavam simplesmente o abastecimento das grandes cidades. A Judeia, por sua vez, importava produtos de luxo – consumidos pelas classes mais elevadas e pelo Templo – e exportava alimentos (frutas, vinhos, óleo e peixes) e manufaturas (perfumes e betume).

ACAIA

A região pertencente à Grécia possuía um sistema de indústria e comércio bastante complexo para a época. Boa parte de matérias-primas, como chumbo, cobre e ferro, estava disponível na Acaia. Dos itens agrícolas, as importações mais relevantes erâm de mel, azeitonas, azeite e vinho.

Praticamente qualquer item de luxo doméstico era elaborado na Acaia. Preciosos óleos, pós, perfumes, cosméticos, roupas, cerâmicas, tintas, móveis e muitos outros produtos eram manufaturados em fábricas e oficinas gregas. Esculturas e outras obras de arte também foram largamente exportadas para o mundo romano.

GÁLIA

Sob o Império Romano, a região desfrutou de uma prosperidade muito efetiva. Nos séculos I e II d.C., a Gália avançou economicamente por meio da exportação de carne, cereais, vinho, prata, vidro e cerâmica. Algumas cidades, como Arles, Narbonne e Trèves, enriqueceram de maneira significativa.

Os cereais eram cultivados nas planícies da bacia parisiense e da atual Bélgica. Também eram cultivados linho e cânhamo para a confecção dos famosos panos gauleses. A esses recursos tradicionais os romanos acrescentaram a cultura da vinha, que foi implantada nas regiões setentrionais.

ARÁBIA PÉTREA

Essa foi outra região que prosperou durante o domínio do Império Romano. Petra, uma das cidades mais importantes da localidade, tinha como principais produtos o incenso, especiarias e tecidos.

A conquista romana da Arábia foi uma vitória importante tanto comercial como militar. Os romanos tinham o controle completo de todas as rotas de comércio acessíveis e importantes do Mediterrâneo. Outro benefício da adição da Arábia foi que os romanos garantiram o flanco sul das províncias da Síria e da Judeia.

BITÍNIA

Localizada em uma planície fértil, a província colhia grãos em abundância. Um constante fluxo de mercadorias passava pelos seus portos. Suas principais cidades foram Niceia, Prusa e Nicomédia.

MÉSIA

Essa região, além e servir como uma espécie de tampão entre as províncias gregas e vários potenciais invasores, também possuía ricas minas e campos muito férteis.

DÁCIA

As principais atividades na província eram agricultura, vinicultura, criação de gado e trabalhos em metal. Os habitantes da Dácia possuíam grandes rebanhos – não somente de gado, mas também de ovinos. Fora da região, eram bem conhecidos pela apicultura. Os cavalos dácios foram muito reverenciados e procurados para uso militar. Os romanos tinham o controle sobre as minas de ouro e prata da Transilvânia. A província mantinha ainda um considerável mercado externo, como é visto pelas várias moedas estrangeiras encontradas no país.

PANÔNIA

Tratava-se de uma localidade muito produtiva. Aveia e cevada eram os seus principais produtos agrícolas. As videiras e as oliveiras, por outro lado, foram cultivadas em pouca quantidade. Já a madeira era uma de suas mais importantes exportações. As minerações de ferro e prata também predominaram. Além disso, a província da Panônia era famosa por sua raça de cães de caça.

DECLÍNIO ECONÔMICO

Não há uma razão simples que possa explicar com toda a exatidão necessária o retrocesso financeiro do Império no decorrer dos anos. Talvez um dos motivos tenha sido a diminuição acentuada no número de escravos. No século III, sem grandes campanhas militares que garantissem novas terras e mão de obra gratuita, a situação chegava a uma escassez quase que definitiva. Assim, o efeito da crise do escravismo gerou também um declínio na economia, com a alta nos preços de diversos itens e desabastecimentos de produtos em praticamente todas as cidades.

Junto com a crise econômica veio também o abalo nas estruturas de produção devido ao aumento contínuo das taxas de impostos administrativos, enormes despesas burguesas em habitação nos centros urbanos, desvalorização da moeda, deterioração das condições de vida das classes inferiores, encarecimento dos produtos e substituição do pagamento em dinheiro pelo pagamento com produtos, o que ocasionou a decadência do comércio.

Houve ainda um aumento sistemático das importações de produtos agrícolas. Isso significava uma elevação da saída de moedas do Império, agravada pelo fato de as minas de metais preciosos já estarem esgotadas àquela altura.

A soma de todos esses elementos, como também a crescente insegurança das rotas, gerou uma grave crise financeira que, por sua vez, provocou o declínio do comércio e de toda a atividade urbana. Para piorar, segundo o historiador Plínio, as constantes importações de mercadorias do Oriente e a quase inexistência das exportações para aquela mesma região como forma de contrapartida criaram um enorme déficit nas contas do governo romano. Assim, se tornou impossível, durante dois séculos, manter a sangria de gastos.

A dívida com o exterior levou ao esgotamento do dinheiro em espécie. A reforma monetária feita pelo imperador Diocleciano, entre os séculos III e IV, tentou reverter essa situação, mas não durou muito tempo, pois afetava a produção sensivelmente.

Dentro desse complicado contexto, as sucessivas crises políticas que ocorreram a partir do fim do reinado de Marco Aurélio até Diocleciano, com o seu cortejo de guerras civis, invasões bárbaras, epidemias e confiscos, levaram a uma trágica decadência econômica, com o desaparecimento da moeda em espécie, o desmoronamento das principais atividades de comércio e o regresso à chamada economia natural. Roma havia atingido uma condição econômica que tornava qualquer regra ou lei impotente e ineficaz. O Império Romano nos séculos III e IV não conseguia sustentar os seus habitantes, manter a sua administração e pagar as tropas.

Por fim, Roma se tornou uma capital ociosa. A distribuição livre de cereais pelos proletários romanos chegou a 200 mil pessoas pobres em determinado momento. Essa entrega gratuita no Egito, Sicília e África Proconsular tinha como contrapartida o dinheiro que Roma sacava às províncias. O comércio romano se baseava na espoliação indireta – reembolsava as importações com os impostos com que taxava as províncias. A triste realidade é que Roma virou uma cidade de mendigos.

Garantir o sustento mínimo da população virou, após o governo de César, uma necessidade política. Além das distribuições gratuitas de cereais, os jogos constituíam um dos serviços públicos mais importantes do Estado. Dessa forma, os dias feriados passaram de 65, nos tempos de César, para 135 na época de Marco Aurélio. Depois, para 175 dias. A partir dessa época, a população de Roma passava a vida nos teatros, anfiteatros e no circo.

Diante de um cenário nada animador, restou pouco a se fazer, a não ser lembrar os tempos áureos de uma verdadeira potência econômica.

9

O JEITO ROMANO DE SER

VALORES ETERNOS E INTERESSES POLÍTICOS EXPLICAM PARTE DO COMPORTAMENTO DESSA SOCIEDADE QUE MARCOU ÉPOCA

No início da civilização romana, seus membros tinham uma vida cotidiana considerada bastante simples. Eram trabalhadores no campo e realizavam uma agricultura de subsistência, ou seja, plantavam e colhiam apenas o que era básico para sobreviver. Disciplina e modéstia, aliás, eram avaliadas como virtudes essenciais ao homem.

Já a família era tida como uma instituição sagrada e o seu chefe – *pater familias* – possuía todo poder, autoridade e direitos sem limites sobre a esposa, os seus filhos, escravos e demais bens materiais. Além disso, todos nutriam imenso respeito pelos mais idosos, que serviam de exemplo a ser seguido pela comunidade em geral.

A religião, por sua vez, tinha como base o culto aos antepassados e a adoração a uma quantidade enorme de deuses. A prática religiosa marcava presença nos diferentes aspectos do dia a dia e carregava um caráter cívico, pois estava ligada diretamente ao Estado romano.

O tempo encarregou-se de interligar a tradição dos deuses gregos com a dos romanos por conta da grande influência da Grécia – uma das províncias do Império – na cultura dos povos daquele período histórico.

O cidadão romano também colocava o Estado acima de todas as demais coisas. Dessa maneira, aquele que estivesse a serviço da *res publica* (coisa pública) precisava respeitar os deuses, demonstrar lealdade e coragem, além de ter a glória como ambição. Tais qualidades deixavam claro o caráter guerreiro manifestado através dos tempos entre os romanos.

Ruínas do templo de Apolo, um dos deuses adorados pela civilização romana

O PRINCÍPIO DE TUDO

Em geral, os habitantes de Roma acreditavam que podiam e deveriam viver debaixo das obrigações com as divindades e com as outras pessoas. Entendiam ainda que o respeito na sociedade era conquistado ou perdido de acordo com o comportamento que o sujeito apresentava. É claro que esse era um pensamento da maioria e não do todo, pois sempre havia exceções em determinados grupos. Essa linha de raciocínio também variou bastante com o passar dos anos.

No entanto, algumas coisas não mudavam. Além de dar as cartas na política, a classe mais alta também era a responsável por definir o sistema de valores morais que orientava a vida pública e privada dos romanos, por volta do ano 500 a.C., no ambiente da República. Quando membros da elite social criaram o regime republicano, o objetivo era inviabilizar o governo de um único homem por meio da criação de um princípio de compartilhamento de poder para eles próprios, mas não para todas as pessoas. Dessa forma, pretendiam afastar o controle do domínio das mãos da maioria. Isso porque criam piamente que o cidadão mais pobre poderia preferir viver sob o governo de um rei que ganharia seu apoio através dos benefícios financeiros, recursos esses que os ricos seriam forçados a dar de suas próprias fortunas pessoais.

Por outro lado, como a classe alta era muito reduzida para administrar e fazer a defesa de Roma sozinha, ela precisou entrar em acordo por meio de concessões, como dar algum papel de governo a outros cidadãos de menor status social e também financeiro. Sem esse tipo de pacto, os romanos não teriam condições de organizar, entre outras coisas, um bom exército. A era republicana de Roma foi marcada por lutas muito tensas pela obtenção do poder. A mais sangrenta batalha aconteceu na República tardia, ocasião em que a classe alta travava lendários combates entre si para definir quem alcançaria determinados níveis nos postos governamentais.

Muitos historiadores questionam se essa busca desenfreada pelo domínio, que jogava cidadão contra cidadão, teve raízes no fracasso dos romanos em seguirem valores tradicionais. Segundo o professor da Universidade de Harvard, Thomas R. Martin, esse cenário destruidor parece ter sido causado "por alguma tensão com origem na importância avassaladora que os romanos davam à conquista de status individual como recompensa pelo serviço à comunidade".

Os habitantes de Roma entendiam que seus ancestrais, no decorrer do tempo, tinham transmitido os valores que deviam orientar a sua vida inteira. Assim sendo, costumavam se referir ao sistema de valores como "o costume dos ancestrais".

VALORES

Probidade, fidelidade e status. Esses eram os três valores principais que os romanos criam terem sido instituídos por seus ancestrais. O primeiro, basicamente, definia como uma pessoa se relacionava com os seus semelhantes. No início, probidade tinha um sentido masculino e vinha do latim *virtus* – que significa virtude. O poeta Lucílio listou aquilo que ele considerava serem as qualidades morais de um homem virtuoso: alguém que conseguia diferenciar o bem do mal; que sabia reconhecer o que era inútil; que era inimigo de homens ruins; protetor das pessoas boas; e que punha o bem-estar da nação em primeiro lugar, seguido dos interesses familiares e, por último, dos interesses próprios.

Além disso, era dever de um homem com probidade cuidar bem de seu corpo e se exercitar para manter-se saudável e forte para poder sustentar a família e lutar pelo país na guerra. A realização suprema para o homem justo era o heroísmo na batalha, mas apenas se servisse à comunidade em vez de propiciar somente glória pessoal. Da mulher com probidade esperavam-se ações valorosas dela para com a sua família. Acima de tudo, ela deveria se casar, ter filhos e educá-los desde pequenos segundo os preceitos éticos da referida comunidade onde vivia.

Já o valor da fidelidade apresentava distintas formas. Acima de qualquer coisa, tal lealdade significava o cumprimento de obrigações, sem avaliar o preço a ser pago e nem mesmo se o compromisso era informal ou formal. Para o natural de Roma, não cumprir uma obrigação ou desrespeitar por completo um contrato era uma grande ofensa à comunidade e também aos seus deuses. A mulher, por exemplo, demonstrava fidelidade mantendo-se virgem até a realização do matrimônio e sendo, depois de casada, uma esposa monógama – relação apenas com seu marido. Porém, o mesmo não era aplicado aos homens, uma vez que os atos sexuais com prostitutas não eram tidos como motivo de reprovação pública. Para os romanos do sexo masculino, o que importava mesmo era cumprir a sua palavra, pagar as dívidas corretamente e tratar todas as pessoas com senso de justiça.

Em último lugar, o status – terceiro valor central romano – nada mais era do que a recompensa que alguém alcançava por viver segundo esses valores todos. Isso vinha do respeito que uma pessoa conquistava e também esperava dos outros por se comportar corretamente com relação aos compromissos tradicionais. A mulher ganhava respeito – além de recompensas relacionadas à sua reputação e aceitação social – quando gerava filhos legítimos e os educava em termos morais. A mãe romana, aliás, merecia e esperava um grande respeito.

As recompensas para os homens envolviam honrarias públicas, ou seja, eleições para posições oficiais no Estado – no caso dos homens ricos o bastante para o governo, pois eles não recebiam salário. Já os soldados na milícia de cidadãos de Roma esperavam um reconhecimento público por seus atos de coragem. Segundo os historiadores, o efeito do status social era tão influente que um homem com conceito elevadíssimo por ações e autocontrole podia receber tanto respeito ao ponto de todos os outros lhe obedecerem, mesmo sem ter o domínio jurídico ou formal. Costumava-se dizer que aquele que atingia esse ápice de prestígio tinha o poder moral

A PIEDADE

Para o romano, ser piedoso significava devoção à adoração dos deuses e ao sustento de sua própria casa. Além do cunho religioso, esse valor também era social. Homens e mulheres que atendiam a esse preceito costumavam respeitar a autoridade dos mais velhos, dos ancestrais familiares e também das divindades. Aliás, demonstrar respeito aos deuses – fazendo cultos religiosos de maneira adequada e regularmente – era imprescindível. Vale ressaltar que o favor divino, de acordo com os romanos, garantia a proteção de sua comunidade.

Nem por isso o respeito a si mesmo era ausente nos valores de alguém piedoso. Isso porque respeito próprio significava muitas outras coisas. Queria dizer, acima de tudo, que o homem não devia desistir nunca, independentemente da dificuldade que pudesse ter pela frente. Perseverar e cumprir os deveres sob todas as condições – por mais adversas que fossem – eram comportamentos básicos. O respeito próprio, por fim, também significava limitar manifestações de emoção e manter sempre o autocontrole. A expectativa sobre esse aspecto era tão grande que nem mesmo maridos e esposas podiam se beijar em público para que não fosse transmitida a sensação de terem perdido o controle emocional.

de autoridade. Isso significava que as pessoas fariam o que recomendava não por imposição da lei, mas sim pelo enorme respeito que tinham pelo exemplo sumo de viver dentro dos valores estabelecidos transmitidos anteriormente por seus ancestrais.

RIQUEZA

Os habitantes da Roma Antiga criam que o status da família afetava diretamente os valores. Para eles, quanto mais elevada fosse a classe familiar de uma pessoa, mais rígidos eram os valores pessoais que se devia seguir. Dentro dessa linha de pensamento romana, nascer em um núcleo proeminente tinha prós, mas também contras. Diretamente, garantia o direito a um status superior na sociedade. Por outro lado, impunha um padrão mais severo de avaliação de comportamento. Em geral, os integrantes da elite acreditavam que uma pessoa nascida em uma família desprestigiada possuía também menor capacidade de se comportar adequadamente. Essa visão gerava, costumeiramente, certa tensão entre as classes sociais. Teoricamente, a riqueza não tinha qualquer relação com a virtude moral. Os próprios romanos mantinham o costume de contar aos seus filhos diversas histórias sobre heróis compatriotas que eram pobres, mas extremamente valorosos.

No entanto, à medida que, no decorrer dos séculos, Roma foi conquistando novas terras e dominando um espaço cada vez maior, o dinheiro passou a ter uma importância maior para a elite, pois possuía o poder de elevar o status com gastos excessivos em prédios públicos e em entretenimentos para a comunidade ao redor. Dessa maneira, ter dinheiro tornou-se uma necessidade para quem desejava ascender em prestígio social. No século II a.C., romanos mais ambiciosos necessitavam de recursos financeiros para comprar respeito e, assim, cresceu e muito a disposição em

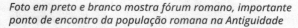

Foto em preto e branco mostra fórum romano, importante ponto de encontro da população romana na Antiguidade

passar por cima de outros valores para conseguir esse objetivo. A busca por determinados "valores" acabaria por levar Roma a um ambiente de inquietação e, na época da República Tardia (146 a.C. até 27 a.C.), de ditadura.

PATRONO E CLIENTE

O ambiente republicano trouxe consigo uma nova relação: a de patrono e cliente. Os dois formavam, na realidade, uma rede de obrigações recíprocas. Patrono era aquele homem de status social superior que tinha como atribuição fornecer "bondades" aos de status menor. Essas pessoas beneficiadas, por sua vez, tornavam-se clientes e passavam a dever "tarefas" ao patrono. Importante dizer que mesmo os patronos, por exemplo, podiam ser clientes de pessoas com status maior do que o seu. Trocando em miúdos: um mesmo indivíduo poderia ser tanto patrono quanto cliente.

O romano costumava definir essa relação de interesses como um tipo de amizade em que cada parte tinha o seu papel precisamente definido. Assim, um patrono sensível demonstraria todo o seu respeito para com o cliente cumprimentando-o como "meu amigo" em vez de "meu cliente".

Contudo, apesar desse ar aparentemente amistoso e de respeito, essa relação patrono-cliente era amparada legalmente e garantia direitos e deveres das partes nela envolvidas. A Lei das Doze Tábuas, de 449 a.C., que foi o primeiro conjunto de regras escritas em Roma, declarava criminoso um patrono que enganasse o seu cliente.

Os deveres de um cliente incluíam o suporte financeiro e político ao patrono. De acordo com a tradição, um cliente devia ajudar, por exemplo, a dar dotes – presentes de casamento muito valiosos – para as filhas do patrono. Já na vida política, era esperado que um cliente ajudasse seu patrono nas campanhas a cargos públicos ou ainda quando um amigo do patrono concorria em uma eleição. O cliente era muito útil para convencer pessoas a trocarem seu voto. Ele também poderia ser intimado a emprestar dinheiro ao patrono quando esse tivesse vencido uma eleição e precisasse de recursos financeiros para custear as obras esperadas dele na posição de funcionário público.

Nos tempos da República tardia, era comum e muito prestigioso o patrono ter um grande número de clientes o tempo todo. O curioso é que esses diversos clientes costumavam se reunir em sua residência logo pela manhã e o acompanhavam até o Fórum Romano – o centro comercial, político e jurídico de Roma. Por conta disso, um integrante da elite romana necessitava ter uma casa bem grande e requintada para receber uma verdadeira multidão para esse encontro matinal. Além disso, o patrono também tinha como bom hábito convidar esse seu parceiro social para jantares em sua própria residência. Muita gente ao redor era sinal de sucesso social. Diante desse cenário, o dinheiro tornou-se fundamental para os romanos das classes mais elevadas. Eles tinham que despender enormes quantias para serem vistos como excelentes patronos.

Mas não é só. Geralmente, o patrono tinha que gastar dinheiro para conseguir oferecer uma variedade de bondades onerosas para os clientes nessa via de mão dupla. No regime republicano, era de bom tom um patrono ajudar um cliente a iniciar carreira política dando apoio à sua candidatura ao gabinete ou ainda garantindo um aporte financeiro ocasionalmente. Durante o Império, o patrono deveria ofertar uma cesta de piquenique cheia de comida para o café da manhã dos clientes que estavam em sua casa logo cedo.

Mas a obrigação mais importante do patrono era garantir o sustento do cliente e de sua família em eventuais dificuldades jurídicas, como no caso de ações judiciais relativas à posse e propriedade, o que era bastante comum. Em momentos assim, pessoas de status social menor ficavam em desvantagem no sistema judicial romano se não tivessem amigos mais influentes para auxiliá-los na apresentação de suas causas. A ajuda de um patrono com dom de oratória era uma necessidade bem específica no tribunal, pois acusadores e acusados tinham que falar por si mesmos ou então ter pessoas próximas que discursassem por eles.

Nesse período histórico, Roma não possuía – como ocorre hoje – promotores públicos ou advogados de defesa disponibilizados pelo Estado, tampouco defensores para serem contratados particularmente. Assim, os cidadãos proeminentes com mais conhecimento de história e procedimentos legais eram os especialistas jurídicos naquela região. No século III a.C., tais especialistas autodidatas, conhecidos como juristas, exerciam função primordial no sistema judicial.

Todas as obrigações jurídicas recíprocas da relação patrono-cliente deviam ser estáveis e duradouras. Em certas situações, esses vínculos se prolongavam por gerações, passando à família. Um exemplo disso era o ex-escravo que automaticamente se tornava cliente, por toda a vida, do mestre que o libertou e, muitas vezes, passava aos filhos essa relação com a família do patrono. Já o romano com contatos fora das fronteiras poderia angariar clientes estrangeiros. Principalmente os mais ricos tinham, em alguns casos, comunidades inteiras de clientes.

As características de dever e permanência do sistema patrono-cliente deixavam evidente a ideia romana de que estabilidade e bem-estar social eram alcançados por meio da manutenção fiel de uma rede de ligações que juntava pessoas umas às outras na vida pública e também privada.

FAMÍLIA

A legislação romana tornava o pátrio poder a maior força dentro das relações familiares, com exceção do vínculo entre marido e mulher. A concessão de domínio a homens mais velhos fazia de Roma uma sociedade patriarcal. Um pai tinha poder legal sobre os seus filhos – independentemente da idade – e sobre seus escravos, que contavam como membros de seu domicílio.

Esse pátrio poder ainda fazia do chefe da família o único proprietário de toda a terra adquirida por qualquer um dos filhos. Enquanto o pai estivesse vivo, nenhum filho ou filha poderia, juridicamente, ter algo em seu nome. Entretanto, na prática, os filhos adultos costumavam manter propriedade pessoal e contrair recursos financeiros. Da mesma forma, escravos protegidos podiam ter economias próprias.

O pai ainda tinha poder legal de vida e morte sobre aqueles que estavam debaixo de seu teto. Mesmo assim, era bastante raro ele exercer esse direito sobre qualquer um deles. Já o abandono de recém-nascidos era algo muito comum. Tratava-se de uma prática aceita para controlar o tamanho das famílias e descartar crianças que nasciam com problemas físicos variados.

Já no caso da esposa, o pátrio poder tinha um efeito bem mais limitado sobre a sua vida. Nos primórdios da República, uma mulher podia estar sob o poder do marido. Contudo, era possível que no contrato de casamento tivesse um impedimento específico dessa subordinação, deixando-a livre de quaisquer controles legais pelo homem. Nesses casos, a esposa continuava, na teoria, sob o poder do pai enquanto ele estivesse vivo. Todavia, existiam poucos casos de pais idosos que mantinham o controle da vida de filhas já maduras e casadas, pois a maioria das pessoas morria jovem no mundo antigo. No momento em que a grande parte das mulheres romanas se casava, no fim da fase da adolescência, praticamente metade já havia perdido seu pai. Essa realidade demográfica mostra que o pátrio poder possuía um efeito bem limitado sobre os filhos maiores.

Além disso, a mulher adulta sem o pai em vida também possuía autonomia plena. Com relação aos homens, já que eles não se casavam antes dos 30 anos de idade, na época do casamento e na formação de sua própria família, apenas 20% deles ainda tinham o pai vivo. Assim, os outros 80% eram juridicamente independentes de controle.

MULHERES

Comumente, a sociedade romana esperava que a mulher se desenvolvesse de um modo rápido e assumisse suas responsabilidades na família. Túlia (79 a.C. a 45 a.C.), filha do famoso político e orador Cícero, noivou aos 12 anos, casou-se aos 16 e ficou viúva com apenas 22 anos de idade. As mulheres ricas tinham o dever de administrar a propriedade da família, o que incluía os escravos domésticos.

A esposa possuía ainda a função de supervisionar a criação de seus filhos por amas de leite, além de estar junto com o marido em jantares festivos, muito importantes na formação de relacionamentos entre as famílias.

A influência da mãe na formação moral dos filhos tinha um valor especial na sociedade romana. Um exemplo disso foi Cornélia, integrante abastada da classe alta do século II a.C., que conquistou fama e respeito na administração da propriedade da família e pela educação dos filhos. Quando o marido morreu, ela decidiu recusar uma oferta de matrimônio do rei do Egito para que pudesse supervisionar o patrimônio familiar, além de educar uma filha e dois filhos – Tibério e Caio Graco, que cresceram entre os líderes políticos mais influentes e polêmicos do período republicano.

Já a mulher pobre precisava criar os filhos e trabalhar duro para se sustentar. O número de profissões voltadas ao sexo feminino também era menor. Geralmente, a mulher tinha que aceitar empregos relacionados à venda de produtos ou de comida em lojas pequenas. Mesmo quando pertencia a uma família produtora de artesanato – que predominava na economia romana –, era mais fácil a mulher vender do que fabricar aquilo que era produzido.

As mulheres de famílias mais pobres viravam, muitas vezes, prostitutas. Aliás, a prostituição era legal, mas quem ganhava a vida vendendo o próprio corpo era considerado sem status social. As garotas de programa utilizavam uma peça de roupa masculina – a toga – para sinalizar a falta de castidade tradicional associada a heroínas romanas.

A mulher não tinha permissão de votar nas eleições romanas. Também não poderia exercer a função de funcionária pública. Podia somente ter influência política indireta ao manifestar opinião a parentes em cargos públicos. Marco Pórcio Catão, ilustre senador e autor (234 a.C. a 149 a.C.), descreveu, certa vez, em tom cômico, a influência que as mulheres poderiam exercer sobre seus maridos governantes: "A humanidade inteira governa suas esposas, nós governamos a humanidade e nossas esposas nos governam".

SEXO

A conduta dos romanos quando o assunto era relação sexual pode parecer muito imoral para os dias de hoje. Por exemplo: os cidadãos da Roma Antiga podiam se aproveitar da intimidade das suas escravas e dos seus jovens escravos. As crianças adotadas – tratadas como filhos – eram muitas vezes sujeitas a práticas homossexuais. As relações entre um adulto e um adolescente eram permitidas, mas nunca entre dois homens adultos.

No entanto, o ato sexual com a sua esposa era às escuras e o seio dela, coberto com uma espécie de sutiã, nunca era mostrado. Os romanos eram puritanos nesse aspecto, mas adornavam as suas casas com pinturas e mosaicos com nus e motivos eróticos, sobretudo nos quartos.

No Império Romano, assim como na Grécia Antiga, a prostituição não era proibida, sendo normalmente feita por escravas trazidas de outros lugares, mulheres gregas e orientais. Mesmo sabendo-se que nas tabernas havia locais destinados às relações sexuais, escavações nas ruínas de Pompeia encontraram um único bordel composto por dez quartos. Na época, esses locais eram designados como Lupanare – palavra derivada de lupaes, que eram as prostitutas que frequentavam os parques públicos e atraíam a atenção de seus clientes com uivos de lobo.

O lesbianismo também era permitido na Roma Antiga. Nos banhos públicos eram frequentes os encontros de mulheres que, embora sendo casadas, recorriam às escravas para satisfazerem os seus desejos lésbicos mais profundos.

EDUCAÇÃO

Um dado importante é que a educação escolar romana das crianças era particular para ricos e pobres, pois não havia escolas públicas. Quando sabiam ler, escrever e fazer aritmética, os pais de muitas famílias mais pobres que trabalhavam como produtores de bens costumavam transmitir esse conhecimento aos filhos por educação doméstica informal. Como Roma não tinha leis que proibiam ou limitavam o trabalho infantil, essas crianças exerciam atividade remunerada junto com os pais.

Contudo, o mais provável mesmo é que a maioria esmagadora da população nem soubesse ler ou escrever. As crianças romanas de famílias mais ricas também recebiam a educação básica em sua própria residência.

No começo do regime republicano, os pais eram os responsáveis pela educação ao menos até que seus filhos completassem 7 anos. A partir dessa idade, os pequenos já estavam aptos a receber instruções de um tutor contratado. As crianças também podiam ser enviadas a aulas oferecidas por professores independentes mediante o pagamento de uma taxa.

Os pais buscavam manter o cuidado de doutrinar os filhos sobre os fundamentos da virtude masculina, principalmente treinamento físico, combate com armas e coragem. Quando a expansão romana aproximou

MANIFESTAÇÃO FEMININA

Era bastante raro as mulheres realizarem quaisquer atos de cunho político. No entanto, em 215 a.C., no auge de uma crise financeira em tempos de guerra, foi aprovada uma lei que limitava a quantidade de ouro que as mulheres poderiam ter, proibia que elas usassem roupas coloridas em público e andassem de carruagem a uma distância de 1,5 quilômetro de Roma ou de outros municípios romanos, exceto para participar de eventos religiosos.

Essa lei pretendia atender ao descontentamento dos homens em relação aos recursos controlados por mulheres ricas em uma época que o Estado enfrentava uma grande necessidade de fundos. Em 195 a.C., depois da guerra, as mulheres afetadas pela regra organizaram uma grande manifestação contra as restrições impostas. Elas tomaram as ruas para expressar o que desejavam e cercaram as portas das casas de dois líderes políticos que vinham tentando bloquear a revogação da regra. Diante da pressão, a lei foi anulada.

as pessoas mais abastadas da cultura da Grécia, elas começaram a comprar escravos gregos mais instruídos para educar os seus filhos. Muitos deles acabavam por virar bilíngues em latim e grego.

As meninas costumeiramente recebiam treino mais ameno que os meninos, mas ambos os sexos aprendiam a ler entre os cidadãos de classe alta. A repetição era a técnica padrão de ensino. A punição física era usada para manter os alunos atentos ao trabalho de rotina. As famílias ricas providenciavam às filhas os ensinos de literatura, um pouco de música e de tópicos de conversação para ocasiões e jantares festivos.

Um dos principais objetivos da educação da mulher era prepará-la para o papel que as mães romanas precisavam desempenhar no ensino aos filhos sobre o respeito aos valores morais e sociais de Roma. Já a meta de educação de um menino romano de classe alta era torná-lo um especialista em retórica, pois isso era fundamental para alcançar o sucesso em uma carreira pública. Para conseguir ser eleito, um homem precisava saber discursar de maneira persuasiva aos seus eleitores. Além disso, falar bem nos tribunais era outra preocupação, pois as ações judiciais eram veículo de proteção da propriedade privada.

Um menino ouvia técnicas de retórica indo com o pai, tio ou irmão mais velho a reuniões públicas, assembleias e sessões no tribunal. Ao escutar as falas feitas em debates sobre política e causas de direito, o garoto aprendia a imitar técnicas vencedoras. Além disso, os pais ricos contratavam docentes capazes de ensinar um grande volume de conhecimento em história, geografia, literatura e finanças, disciplinas necessárias para formar um orador realmente eficaz.

A retórica romana, aliás, devia muito às técnicas da retórica grega. Muitos oradores de Roma estudavam com professores da Grécia.

DIA A DIA

Tudo indica que os romanos tinham o costume de se levantar ao nascer do sol, já que as ruas não possuíam iluminação e havia nas casas somente candeias de azeite. Lavavam o rosto e logo calçavam suas sandálias ou sapatos de madeira. Nem perdiam tempo com a vestimenta, já que dormiam com a roupa do cotidiano mesmo (ou então diversas túnicas sobrepostas, dependendo do período do ano).

Em seguida, já se alimentavam com a primeira refeição do dia: pão, queijo e água. Os rapazes das famílias ricas seguiam para o estudo acompanhados por seus escravos de confiança.

Os ricos utilizavam o período da manhã para tratar dos seus negócios, visitar propriedades e resolver demais assuntos particulares. O passeio pelo fórum (praça pública) para conhecer as últimas novidades, discutir assuntos públicos e socializar com os amigos era uma atividade de praxe.

Por volta do meio-dia, os romanos paravam para a segunda refeição.

Essa era rápida: carnes frias, frutas e legumes. Tudo regado a um bom vinho. Após se alimentarem, voltavam aos seus trabalhos, parando habitualmente no meio da tarde para se banharem.

O dia terminava com a refeição principal, a ceia. Os mais ricos gostavam de convidar amigos para seus banquetes. Comiam vários pratos, servidos por escravos em travessas comuns, de onde o convidado retirava a comida com uma colher ou mesmo com as mãos. Depois do banquete, vinham as distrações, como músicos, bailarinas ou recitais de poesia.

Para os mais pobres, o trabalho continuava até mais tarde e a ceia era pobre, baseada no trigo – item distribuído gratuitamente ou a baixo custo, sobretudo nos tempos de Império. Deitavam-se cedo e levantavam-se ao nascer do sol para iniciarem mais um dia de trabalho.

VESTIMENTAS PADRONIZADAS

As roupas dos habitantes de Roma foram extremamente influenciadas pelos gregos e variavam de acordo com sexo e categoria social. As mulheres solteiras, por exemplo, geralmente vestiam uma túnica, sem mangas, que se estendia até o tornozelo. Depois de se casar, utilizavam o mesmo tipo de traje, mas com mangas. As qualidades de tecido também mudavam. Enquanto as mulheres da elite trajavam roupas de algodão e seda, as das classes menos abastadas utilizavam linho ou lã.

Os homens livres, por sua vez, vestiam túnica de linho ou lã até os joelhos. Esse comprimento evitava que as vestes atrapalhassem os seus movimentos. Já os trabalhadores usavam roupas de couro por causa da durabilidade. A toga, um manto longo, era usada somente pelos cidadãos a partir dos 14 anos de idade. Os meninos carregavam no pescoço um adorno em forma de concha marinha, que era abandonado no momento de vestir a toga, uma representação da chegada à idade adulta.

A indumentária também contava com os acessórios como elementos muito importantes para os romanos. Não era raro ver as mulheres utilizarem braceletes, tornozeleiras, pulseiras, anéis e colares. Os materiais de joalheria mais comuns eram ouro, prata, pedras preciosas e semipreciosas, como cobre, bronze e ferro. Nelas, estavam desenhados símbolos como o Cupido, além de aves e cenas mitológicas.

Também havia o costume de se passar maquiagem e usar perucas. Para complementar o vestuário, os homens preferiam sandálias, chinelos e botas de feltro ou couro.

Com o passar do tempo, houve, é claro, algumas mudanças e inserções, como uma túnica interior por debaixo da roupa principal. Essa nova peça tinha como maior diferencial um capuz.

FIM DE COSTUMES ANTIGOS

Os principais preceitos estabelecidos ao longo dos anos em Roma acabaram se deteriorando com o tempo. A busca desenfreada por poder e recursos financeiros fez com que diversos líderes e integrantes das classes mais elevadas distorcessem valores há muito praticados no território romano.

Comportamentos insanos de imperadores como Calígula (37 a 41 d.C.) e Nero (54 a 68 d.C.) – que buscaram a glória própria acima de qualquer coisa – são exemplos. Uma prova clara disso é que, para ambos, não havia mais a necessidade de respeitar as opiniões dos mais velhos, algo instituído como imprescindível.

Outros imperadores vieram posteriormente e retornaram, em parte, para alguns dos valores essenciais, mas muita coisa já havia mudado. Roma não voltaria a ter mais os mesmos costumes e, também por isso, deu início a um período de declínio como nação dominante que era. As ações tiranas de alguns no passado acabariam por diluir a prosperidade romana no futuro.

10

INFLUÊNCIAS GREGA E ESTRUSCA EM CENA

DOMINADORES TERRITORIAIS, OS ROMANOS FORAM TOTALMENTE CONQUISTADOS PELOS ARTISTAS DA GRÉCIA NA ANTIGUIDADE; A ETRÚRIA TAMBÉM INTERFERIU DIRETAMENTE NA ARTE DE ROMA

O território dominado ia da Gália ao Cartago, da Grécia ao Egito. Mas nem todo o inigualável poderio bélico e as vitoriosas campanhas militares foram capazes de livrar Roma de se render a algo: a arte grega. Tanto é verdade que praticamente tudo o que foi produzido artisticamente pelos romanos durante seus anos de ouro teve a influência dessa província.

Para muitos historiadores, inclusive, a "Cidade Eterna" – como a capital do antigo Império ficou conhecida – pouco produziu de original. Segundo os especialistas, os romanos "abafaram" a única manifestação artística significativa verificada em solo italiano, que foi a etrusca. Em vez de exaltar seu conteúdo interno, preferiram importar escultores, decoradores e pintores gregos. Alguns críticos ressaltam que a poderosa Roma contribuiu menos com a arte do que pequenos estados, como a Suméria, por exemplo.

Já outros especialistas rechaçam essa opinião. Para esses, a sociedade romana era muito cosmopolita e aberta, o que permitiu a incorporação de certos elementos gregos. Entretanto, acreditam que não podemos dizer em hipótese alguma que a arte romana foi uma mera cópia. Citam como sua principal característica a ideia de energia, força, realismo e grandeza material.

PRINCÍPIO

No começo do século I a.C., Caio Mecenas, conselheiro do imperador Augusto, foi o primeiro dos principais patronos da arte local. Na época dele, os artistas alcançaram, pela primeira vez na sociedade de Roma, o mesmo prestígio de soldados e políticos.

No entanto, a origem da arte romana – propriamente dita – remonta ao início do século VIII a.C., aproximadamente. No século IV d.C., esse movimento artístico na península itálica chegaria ao fim para dar espaço à arte cristã primitiva.

As criações artísticas em Roma, sobretudo a arquitetura e as artes plásticas, atingiram uma notável unidade em consequência do poder político que se estendia pelo vasto Império. A civilização romana criou grandes cidades. A estrutura militar favoreceu as construções defensivas – como fortalezas e muralhas – e as obras públicas (estradas, aquedutos e pontes). O grau elevado de organização daquela sociedade e o utilitarismo do modo de vida foram os principais fatores que caracterizaram toda a sua produção artística especificamente nesse período.

ARQUITETURA

Um dos pontos altos da arte romana foi a grandiosidade de suas construções. Com o poder exercido em seu tempo, essa ideia se estendeu também para as imponentes edificações, sobretudo na capital do Império. Mesmo sobre alicerces gregos, não há como negar a competência desenvolvida por Roma na execução de sua arquitetura. Por esse motivo, há quem diga que foi na engenharia civil que os romanos realmente se encontraram.

Importante ressaltar que as construções eram executadas dentro de um contexto de expansão. As edificações foram feitas conforme o desen-

Ponte sobre o rio Tibre é um exemplo do utilitarismo da arte romana

volvimento das cidades. Por conta disso, a praticidade sobressaía ao efeito arquitetônico. A beleza de suas obras provinha desse caráter funcional.

Em geral, os arquitetos romanos utilizaram as formas gregas, mas desenvolveram novas técnicas de construção, como o arco que abrange uma distância maior que o sistema grego de pilar e dintel – dois postes verticais suportando uma trave horizontal. O concreto permitiu projetos mais flexíveis, como o teto abobadado e imensas áreas circulares com teto elevado por domo.

Foi justamente esse caráter funcional que levou os romanos a desenvolverem o arco, a abóbada e o domo, itens que não foram utilizados pelos gregos, embora eles os conhecessem. Entretanto, os romanos, como precisavam conquistar espaços, utilizaram-se dos arcos, tendo em vista que eles possibilitavam a proeza de grandiosas construções.

Quando o assunto é arquitetura romana, não há como deixar de lado o mais famoso desses edifícios, o Coliseu – a enorme arena para 50 mil espectadores onde a população era distraída pelos imperadores com diversões em larga escala. Segundo o historiador da arte do século XX, Ernst Gombrich, o Coliseu apresenta claramente características da construção romana, que suscitou muita admiração em épocas subsequentes.

URBANISMO

O conhecimento contemporâneo sobre a arquitetura romana antiga é proveniente de diversas escavações arqueológicas feitas por toda a área do Império e ainda de registros escritos, como dedicatórias, livros e ainda inscrições.

Seguindo o plano etrusco, os romanos edificavam as cidades em torno de duas avenidas principais. Uma via no sentido norte-sul, a outra de leste para oeste, além de uma praça (ou fórum) na interseção. Os edifícios públicos agrupavam-se em geral em torno do fórum.

A arquitetura romana – que, no princípio, era dominada pela influência etrusca – conquistou um estilo mais próprio a partir do surgimento do cimento, no século II a.C., da construção com tijolos e do aprimoramento dos arcos. Já as construções dos dois últimos séculos do Império incluem-se entre as manifestações mais importantes da arte romana.

Após o grande incêndio ocorrido no reinado de Nero, o aspecto urbano transformou-se com as reconstruções. Destacam-se os grandes fóruns imperiais e o mais suntuoso de todos, o de Trajano, em que predominavam os "mercados" – seis andares de lojas ligados por corredores e escadarias, escavados na rocha viva do monte Quirinal. Verdadeira obra-prima da engenharia e da arquitetura romana em sua técnica de origem oriental, o fórum de Trajano era cercado por uma grande muralha revestida de mármores e possuía salas de reunião, bibliotecas, um templo consagrado a Trajano, além de uma basílica.

Já as termas são uma criação original dos arquitetos romanos. Nas grandes cidades, ocupavam um espaço considerável, com banhos, saunas e numerosos estabelecimentos anexos. Os banhos de Agripa, em Roma, hoje desaparecidos, são o primeiro exemplo da concepção monumental das termas romanas dos séculos II e III, das quais as mais famosas são as do imperador Caracala – que possuíam bibliotecas, salas de leitura e conversação, ginásios e um teatro – e as de Diocleciano, a maior de todas com inacreditáveis 140 mil metros quadrados.

No ano de 50 a.C., Pompeu construiu o primeiro teatro de alvenaria, em substituição à madeira. Diferentemente dos gregos, os teatros romanos possuem um espaço semicircular reservado à plateia, uma pequena orquestra – local destinado às danças, aos músicos e aos coros – e um palco maior com fundo feito de alvenaria.

O mausoléu, espécie de túmulo, prevaleceu a partir do reinado de Augusto. Dos templos mais antigos, sobraram apenas alguns vestígios, como os de Júpiter Capitolino, Saturno e Ceres, todos em Roma. A partir do século I aumentou e muito a influência síria. A principal característica era a enorme riqueza de elementos de decoração.

ESCULTURA

A influência etrusca se mostra evidente na escultura romana até o século II a.C., apesar dos poucos vestígios remanescentes. Após esse período histórico, o estilo helênico mostrou a sua predominância. Com o domínio sobre o território grego, Roma trouxe para si diversas peças vindas de santuários gregos do sul da Itália e da Anatólia. Mais tarde, artistas da Grécia, instalados na capital do Império, fizeram réplicas e imitações das obras gregas mais apreciadas.

Em geral, os nomes dos artistas não são conhecidos e, mesmo obras importantes, como o "Altar da paz de Augusto", permaneceram anônimas. A antipatia dos romanos à nudez atlética da escultura grega explica um pouco da ausência de estudos de anatomia nessa arte. O rosto é a parte mais importante das peças.

Assim, a escultura romana começou a desenvolver o seu estilo próprio. Apesar de a arquitetura ser considerada a maior conquista dos romanos, é importante ressaltar que eles criaram um estilo bastante característico de escultura. Os maiores exemplos disso são os famosos bustos romanos, peças dignas da atenção dos admiradores da arte. Nesse caso, não mais os deuses são adorados, ainda que os representados possuam traços muito semelhantes às divindades.

Mais tarde, durante o Império Romano, seus imperadores foram conservados em bustos e estátuas, objetos que eram vistos com certa adoração. Contudo, são retratos mais realistas e, talvez, menos satisfatórios que as obras gregas. Os artistas de Roma pretendiam representar fielmente seus

INFLUÊNCIAS GREGA E ESTRUSCA EM CENA

retratados, porém, não os viam como deuses perfeitos e sublimes, pois sua escultura era mais literal. Esse espírito prático dos romanos levava-os para o caminho da realidade. Assim, o imaginário – tão preconizado pela Grécia – perdia cada vez mais o seu espaço.

De acordo com Agnes Strickland, "os romanos tinham em casa máscaras – feitas em cera – dos seus ancestrais". O historiador destaca que essas imagens realísticas eram moldes totalmente factuais das feições do falecido. Essa tradição influenciou os demais escultores romanos.

Além dos bustos e estátuas, os relevos narrativos foram muito importantes. Painéis de figuras esculpidas representando feitos militares decoravam arcos de triunfo, sob os quais desfilavam os exércitos vitoriosos conduzindo longas filas de prisioneiros acorrentados.

Segundo o historiador de arte Ernst Gombrich, a Coluna de Trajano, por exemplo, mostra toda a crônica ilustrada de suas guerras e vitórias na Dácia – a moderna Romênia. Todo o engenho e as realizações de séculos de arte grega foram usados nessas autênticas façanhas de reportagem bélica. Mas a importância que os romanos atribuíam a uma reprodução exata dos detalhes e a uma clara narrativa que gravasse as façanhas de uma campanha – impressionando quem ficara em casa – modificou o caráter da arte.

Apesar de os painéis serem bem feitos, o objetivo dos romanos era a ilustração perfeita de um fato histórico. Eles não se preocupavam mais com ideais de beleza ou harmonia em suas obras tal qual o grego fazia. Eles tinham gosto apurado pela narração. Os assuntos que eram narrados e representados tornaram-se o mais importante elemento de todos.

A escultura floresceu nos séculos I e II, especialmente no reinado de Adriano, sob forte influência grega. Um segundo momento importante teve início no ano de 193, com Septímio Severo. Entretanto, as abaladas condições políticas a partir do século III trouxeram a decadência de todas as artes e também da escultura. Entre os objetos domésticos (lâmpadas, ferramentas, armas etc.) – executados predominantemente em bronze –, existem verdadeiras obras de arte.

Esculturas romanas eram caracterizadas pelos traços mais reais

PINTURA

Em geral, as pinturas de Roma originaram-se de Pompeia e Herculano. Infelizmente, elas foram soterradas pela erupção no monte Vesúvio. Os pintores romanos utilizaram, paralelamente, o realismo e a imaginação.

As mais antigas pinturas romanas conhecidas são os afrescos descobertos em uma tumba do monte Esquilino e datam, aproximadamente, do século III a.C. Assim como a escultura, a pintura, em sua primeira fase, reflete a influência etrusca e, em seguida, itálica e helênica.

Assim, elas desencadearam quatro estilos distintos. O primeiro, de incrustação, imita obras da Anatólia e da ilha de Delos e reproduz revestimentos de mármore multicolorido. Entre 70 a.C. e o ano 20 da era cristã, o segundo estilo arquitetônico apresenta técnica aprimorada e baseia-se em originais gregos. São painéis que parecem abrir-se para paisagens e palácios povoados por personagens da mitologia grega. O terceiro estilo, ornamental, aparece em Pompeia no fim do século I a.C. O realismo dá lugar à idealização e os personagens míticos dominam completamente as paisagens. O quarto estilo corresponde ao reinado de Nero, entre os anos 54 e 68. Na arte mural, destacam-se também os mosaicos, de forte influência oriental.

MÚSICA E DANÇA

Sabemos hoje que a cultura musical do lado leste do Mediterrâneo, principalmente da Grécia, trazida pelas legiões romanas, foi alterada e também bastante simplificada. Ainda assim, as suas teorias musicais e acústicas, princípios de construção de instrumentos, acervo de melodias e sistema de notação formaram a base da música do Ocidente posteriormente.

Já na dança, ao contrário do que aconteceu em outros tipos de arte, o Império Romano não seguiu os passos da cultura dos etruscos. Aparentemente, as mulheres da Etrúria tinham um importante papel nas danças em pares, realizadas sem máscaras em locais públicos. A cultura romana, envolta ao seu conhecido racionalismo, era muito avessa à dança. Até o início do século III, tais movimentos corporais ficavam restritos a formas processuais ligadas a ritos de guerra e também agrícolas.

Mais tarde, a influência etrusca e grega se disseminou, mas as pessoas que dançavam eram consideradas suspeitas, afeminadas e até mesmo perigosas pela aristocracia romana. Cícero, por exemplo, ressaltou que a dança era um sinal de insanidade. O culto grego a Dioniso incluía a indução ao êxtase por meio de uma dança convulsiva.

No Império Romano, as danças transformaram-se nas festas com orgias de Baco, a princípio só para mulheres e realizadas durante três dias no ano. Embora secretos, tais cultos se disseminaram, passaram a incluir também os homens e chegaram a uma frequência de cinco por mês. No ano de 186 a.C., sob a alegação de obscenidade, foram proibidos e seus praticantes sofreram implacável perseguição, somente comparável à movida contra os cristãos. Na verdade, seu caráter de sociedade secreta era ameaçador para o Estado. Por volta do ano 150 a.C., foi ordenado também o fechamento de todas as escolas de dança, o que não erradicou a prática. Dançarinos e professores eram trazidos, em número cada vez maior, de outros países.

TEATRO

Essa representação artística foi totalmente calcada nos costumes gregos. Isso ocorria apesar de já existir na península itálica uma tradição teatral bastante incipiente, de influência etrusca. Em 240 a.C., teria sido apresentada pela primeira vez uma peça traduzida do grego durante os jogos romanos. O primeiro autor romano a produzir uma obra de qualidade mais refinada – estreou em 235 a.C. – foi Cneu Névio. O teatro histórico foi a criação original inicial do autor, que ainda incorporou às suas peças – classificadas como mordazes e francas – críticas à aristocracia romana. Ele teria sido preso ou exilado por conta disso.

Muito por conta disso, o grande poeta Quinto Ênio, sucessor de Névio, decidiu adaptar o seu talento às exigências daquele contexto e se dedicou à tradução das tragédias gregas. Apenas no final do século II a.C. surgiria a verdadeira comédia latina.

As representações teatrais eram parte do entretenimento gratuito oferecido nos festivais públicos. Desde o início, no entanto, o teatro romano dependeu do gosto popular, de uma forma que nunca havia ocorrido na Grécia. Assim, caso uma peça não agradasse ao público, o promotor do festival era obrigado a devolver parte da verba que recebera. Por isso, mesmo durante a época da República, havia certa ansiedade em oferecer à plateia algo que a agradasse.

Os imperadores romanos fizeram um uso descarado desse fato, provendo "pão e circo" – segundo a célebre expressão cunhada pelo satirista Juvenal – para que o povo se distraísse de suas miseráveis condições de vida. O grandioso Coliseu e outros anfiteatros espalhados por todo o Império atestam o poder e a grandeza de Roma, mas não sua energia artística.

Não há razões para crer que tais construções se destinavam a outra coisa que não espetáculos banais e degradantes. As arenas foram então totalmente ocupadas por gladiadores em combates mortais, feras espicaçadas até se fazerem em pedaços, cristãos cobertos de piche e usados como tochas humanas. Não é de se admirar que tanto os escritores como o público de outra índole passassem a considerar o teatro como manifestação indigna e humilhante.

Durante o período imperial, surgiram as tragédias para pequenos recintos privados ou para declamação sem encenação. São desse tipo as obras de Sêneca, filósofo estoico e principal conselheiro de Nero, as quais exerceram enorme influência durante o Renascimento, sobretudo na Inglaterra. Ainda durante a República, a mímica e a pantomima tornaram-se as formas teatrais mais populares. Baseadas nas improvisações e agilidade física dos atores, elas ofereciam uma ampla oportunidade para a audaciosa apresentação de cenas imorais e pornográficas. No tempo da perseguição aos cristãos, sob Nero e Domiciano, a fé cristã era ridicularizada. Depois do triunfo do cristianismo, porém, as apresentações teatrais foram sumariamente proibidas.

LEGADO ARTÍSTICO

Mesmo com a indiscutível influência da arte grega, é igualmente inquestionável o fato de o movimento artístico romano ter conseguido formar a sua própria identidade de modo bastante rápido. Por meio da representação real e extremamente fiel das pessoas – na contramão da Grécia, que buscava idealizar o que era retratado –, os romanos apresentavam em suas peças figuras verdadeiras da casta social.

Além disso, Roma foi uma sociedade claramente visual. Com a maioria absoluta de sua população analfabeta e sem capacidade até mesmo de falar o latim erudito que circulava entre a elite, as artes visuais funcionaram como uma espécie de literatura acessível às grandes massas, confirmando ideologias e divulgando a imagem de personalidades eminentes. Nesse contexto, a escultura desfrutou de uma posição privilegiada, ocupando todos os espaços – públicos e privados – e povoando as cidades com inumeráveis exemplos em várias técnicas.

Apesar de ter notáveis influências de movimentos artísticos passados, os romanos incorporaram inovações em dois campos principais, que seriam o retrato e o relevo descritivo. O retrato em si, como processo artístico, passou por diversas etapas, já que não só refletiu com bastante aproximação as modas, como também se manifestou de maneira sucessiva em grandes momentos e lugares e tendências ultrarrealistas, ilustrando o mais real possível, ajudando posteriormente na execução das esculturas.

A temática histórica desses relevos narrativos se constituiu com a contribuição mais original de Roma para essa forma artística, sempre exaltando feitos militares, quase como uma história em quadrinhos. Outra forma de expressão importante foi o mosaico, que, mais tarde, foi muito utilizado na Idade Média.

Diante desse quadro, é possível destacar que a arte de Roma, dentro de seu contexto de conquistas, ao contrário do que muita gente afirma, foi muito valioso e deixou importantes legados para as nações futuras. Com um caráter mais utilitário, os romanos levaram o ambiente artístico para o cotidiano e a realidade para peças que antes representavam apenas um ideal inatingível.

11

UM POVO DE FÉ

DA ADORAÇÃO AOS DEUSES DE ORIGEM GREGA ATÉ OS TEMPOS DA CRISTIANIZAÇÃO, ROMANOS SEMPRE DEMONSTRARAM UMA FORTE INCLINAÇÃO RELIGIOSA

A variedade da religião romana era bastante acentuada e comprometia praticamente todos os aspectos da vida. A verdade é que os habitantes da Roma Antiga adoravam diversos seres sobrenaturais – desde os deuses com raízes na Grécia até espíritos capazes de habitar em elementos naturais, como tempestades, árvores e rochas.

Assim, os romanos da Antiguidade eram considerados politeístas, já que nutriam uma forte crença em diferentes deuses. Essas divindades eram antropomórficas, ou seja, possuíam características – qualidades e também defeitos – próprias dos homens, além de serem representadas em forma humana. O Estado apregoava uma religião oficial que prestava culto aos grandes deuses de origem grega, mas com nomes latinos.

RELIGIÃO E ESTADO

A divindade de maior importância para os romanos era Júpiter. Para o povo, tratava-se de um pai poderoso, muito severo e rei sobre todos os outros deuses. Juno, rainha dos deuses por ser irmã e esposa de Júpiter, e Minerva, deusa virgem da sabedoria e filha de Júpiter, uniam-se ao deus maior e formavam a tríade central nos cultos públicos oficiais. Eram feitos sacrifícios, orações e rituais sancionados pelo próprio Estado. Os três deuses dividiam o Capitólio, o templo mais famoso e importante de Roma, localizado na região central da cidade.

Esse lugar de adoração foi construído ainda no século VI a.C., no rochoso monte Capitolino, e adornado com 24 colunas de pedra com pouco mais de 20 metros de altura cada. Dentro do templo, os religiosos encon-

Vista do Capitólio, templo de adoração a Júpiter, Juno e Minerva

travam três salas internas, sendo que na principal estavam as estátuas dos deuses. Segundo os historiadores, a separação interna do Capitólio era bem semelhante à dos templos etruscos.

Júpiter, Juno e Minerva recebiam oferendas dos fiéis, pois esses deuses tinham a função de resguardar a segurança física e a prosperidade de Roma. Como forma de homenagear o primeiro – considerado o melhor e maior –, os romanos realizavam um festival de exercícios militares e esportivos no Circo Máximo. No período imperial, esse local de competições abrigava até 250 mil pessoas em assentos de pedra e concreto para acompanhar combates entre gladiadores, corridas de bigas, execuções públicas e ainda encenações de caçadas de animais selvagens importados de diversas partes do mundo.

CARO, MAS NECESSÁRIO

Construir o templo no Capitólio, aliás, não saiu nada barato para os cofres do governo, que na época ainda não ostentava o poderio financeiro dos tempos vindouros. Mesmo assim, o gasto valeu a pena, pois os romanos criam que a conquista da boa vontade dos deuses era uma real necessidade para a defesa nacional contra os vizinhos mais agressivos.

Ao mesmo tempo, os habitantes de Roma acreditavam ainda que os deuses determinavam que as pessoas assumissem a responsabilidade pela própria segurança. Dessa forma, os romanos do século VI a.C. também levantaram um muro enorme em torno da cidade.

Tábuas dos Dez Mandamentos: relação dos hebreus com seu Deus contrastava com a que os romanos tinham com suas divindades

MORALIDADE

Os romanos não atrelavam o culto a deidades com a necessidade de um comportamento moral aceitável. Para eles, os deuses não eram os originadores do código moral da sociedade. Era uma crença que contrastava bastante com a dos hebreus, que tinham a sua conduta regida por Deus através dos Dez Mandamentos e outras leis transmitidas divinamente por meio da vida do profeta Moisés.

Na realidade, os deuses romanos pareciam demonstrar um interesse grande em como as pessoas os tratariam, mas desprezavam por completo a forma como elas viviam entre si. A trapaça nos negócios, mentira ou agressão mútua não eram ações passíveis de castigo divino, conforme o entendimento romano. Assim, apesar de acreditarem que Júpiter poderia punir alguém pela quebra de um contrato juramentado, a punição ocorreria porque a pessoa ofendeu esse deus ao ignorar o compromisso sob o testemunhar dele.

O historiador romano Cícero fez um resumo das crenças romanas do seguinte modo: "Júpiter é chamado de 'o melhor' e 'o maior' não porque nos faz justos, moderados ou sábios, mas porque nos faz seguros, ricos e bem-providos". Os romanos, no decorrer dos séculos, mantiveram essa compreensão da natureza divina.

No entanto, os naturais de Roma entendiam que alguns de seus valores mais importantes – como, por exemplo, a fidelidade – eram seres ou forças divinas especiais. Tanto é verdade que os romanos edificaram, em 181 a.C., um templo para Pietas, uma espécie de personificação do valor central relativo ao respeito aos deuses e obrigações morais. No local, havia a estátua de uma deusa que representava tais qualidades.

SACERDÓCIO

No período republicano, a classe de sacerdotes que dirigia o culto oficial aos diversos deuses romanos era composta por homens e mulheres do alto da hierarquia social. Tais pessoas não consideravam o sacerdócio uma carreira profissional, mas tinham essa atividade como o cumprimento de um dos aspectos de uma vida pública bem-sucedida na cidade de Roma.

A função principal desses cidadãos era garantir a boa vontade dos deuses para com a nação e o Estado. Esse relacionamento era denominado "paz dos deuses". Com o intuito de alcançar a serenidade das divindades, sacerdotes e sacerdotisas eram frequentemente chamados para conduzir festivais, sacrifícios e demais rituais em exata conformidade com a tradição de seus ancestrais.

Nada poderia ser feito de modo diferente. Caso a execução das fórmulas antigas de preces fosse dita de maneira errada ou ocorresse um único equívoco em uma palavra, todo o procedimento deveria ser reiniciado. Assim, como Roma passou a ser, com o tempo, a sede de inúmeros santuários e templos, tais atividades sagradas tomavam muito tempo e esforço. Além disso, os gastos em torno delas eram bastante elevados.

Os eventos oficiais do Estado, aliás, sempre contavam com um ritual religioso preparatório. As reuniões do Senado, por exemplo, usualmente tinham início com a análise de assuntos religiosos considerados mais relevantes ao Estado. Já os comandantes militares faziam ritos de adivinhação para descobrir a vontade dos deuses e auxiliá-los a compreender a melhor hora de realizar os seus ataques.

O conselho mais importante de sacerdotes, que possuía 15 membros durante a República, era responsável por aconselhar os magistrados sobre as suas responsabilidades religiosas no papel de agentes do Estado. O líder desse grupo era o sumo pontífice, que tinha o cargo mais elevado dentro da religião pública romana. Ele possuía a maior autoridade sobre assuntos religiosos que afetavam diretamente o governo local. Toda essa importância política do sumo pontífice fazia com que os homens mais influentes buscassem o posto, que, no século III a.C., era preenchido por meio de eleição.

FESTIVAIS

No princípio, a maioria dos eventos religiosos romanos era baseada nas aspirações da comunidade agrícola. Tradicionalmente, a religião de Roma procurava proteção para a sua plantação, o principal meio de sobrevivência daquela comunidade em seu período inicial. Assim, comumente as orações estavam centradas em pedidos de ajuda aos deuses para alcançar colheitas de qualidade, evitar doenças, além de garantir a reprodução saudável entre animais domésticos.

O enorme santuário em Praeneste – atual Palestrina, cidade a 32 quilômetros de Roma – era o local onde se buscava ajuda divina com relação à obtenção do alimento. Essa edificação de cinco níveis era uma das maiores estruturas religiosas de toda a Itália antiga.

No geral, os rituais religiosos não mudaram de modo considerável ao logo dos anos. Isso ocorreu porque, de acordo com o pensamento romano, a adição de qualquer novidade às homenagens consideradas habituais feitas aos deuses poderia ofendê-los e provocar uma ira indesejada contra os humanos.

Assim, a religião da chamada República Tardia manteve diversos rituais antigos. Um deles era o festival da Saturnália, realizado em dezembro, quando a ordem social era temporariamente invertida. Segundo o dramaturgo e erudito Ácio (170 a.C. a 80 a.C.), na ocasião, as pessoas faziam banquetes pelas zonas rural e urbana e "cada proprietário atuava como empregado de seus escravos". Por um lado, essa revirada servia para liberar as tensões causadas pelas desigualdades entre essas duas figuras. Por outro, buscava reforçar os vínculos de obrigação dos servos com seus senhores ao simbolizar a bondade que deveria ser retribuída com um serviço fiel.

Como bons politeístas, os habitantes da Roma Antiga acreditavam que poderiam existir deuses que exigiam veneração, mas que ainda não tinham aceitado. Em casos de emergências nacionais, o Estado costumava buscar proteção divina contra divindades estrangeiras que não possuíam um culto tradicional entre os romanos. Um exemplo foi a importação do culto de Asclépio, o deus grego da área medicinal, no ano 293 a.C., com o intuito de

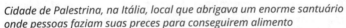

Cidade de Palestrina, na Itália, local que abrigava um enorme santuário onde pessoas faziam suas preces para conseguirem alimento

livrar Roma de uma grande peste. Outros cidadãos importavam da Grécia o culto ao deus Dionísio – mais conhecido como Baco entre os romanos. Essa veneração a Baco, contudo, gerou certo descontentamento, pois exigia ritos moralmente reprováveis na questão sexual. O governo, porém, não demonstrava muito interesse nessas polêmicas, a não ser que despertassem uma ameaça ao Estado, como ocorreria anos depois com o cristianismo.

FAMÍLIA

Dentro do seio familiar, os elementos da religião se mostravam muito presentes nos próprios lares. Toda residência romana tinha espaços considerados sagrados. A estátua de Juno – que possuía duas faces – era colocada logo à porta da casa. Uma face ficava voltada para a rua e a outra para o interior da residência. Dessa maneira, acreditava-se que aquela divindade garantia proteção ao lar, impedindo a entrada de inimigos.

As famílias ainda mantinham um santuário no formato de um armário para guardar estatuetas que representavam espíritos bons, como o dos mantimentos e dos ancestrais. Os moradores da casa ainda penduravam máscaras da morte de antepassados ilustres nas paredes da sala. Era uma maneira de lembrar aquela geração da importância de viver à altura dos ideais antigos e virtuosos. Aliás, a fonte principal da moralidade romana estava diretamente atrelada ao forte sentimento de tradição familiar presente nessas práticas e propagado pelos pais. O que mais ajudava a impedir um comportamento imoral era o receio da perda do respeito e não o temor de receber alguma punição por parte dos deuses.

Os rituais caseiros eram tão comuns que acompanhavam até atividades consideradas mais corriqueiras, como a amamentação de uma criança e a adubagem da terra para a plantação. A realização desses pequenos eventos religiosos estava ligada à reverência respeitosa que os romanos buscavam ter e à busca da segurança em meio a um mundo cheio de perigos.

A disposição dos deuses em intervir em praticamente todos os aspectos da vida cotidiana deixava a relação entre seres humanos e o divino bastante complicada. Isso porque os romanos não acreditavam que os deuses tinham a tendência de amar os homens. Assim, as divindades poderiam punir toda e qualquer criatura sem ter nem mesmo uma razão plausível.

Essa relação era ainda mais difícil porque não havia uma clara comunicação entre as duas partes. Os homens, então, faziam de tudo para descobrir a vontade divina. Essa constante obrigação de entender o querer dos deuses motivava a atividade religiosa em Roma.

PERSEGUIÇÃO AOS CRISTÃOS

No período imperial, em meio ao politeísmo, o governo romano mostrava profundo incômodo com o avanço no número de cristãos.

Os seguidores de um homem chamado Jesus se negavam a participar dos cultos religiosos realizados regularmente em Roma. Esse cenário foi o motivo principal das perseguições ao grupo, considerado uma seita do judaísmo.

Além disso, os encontros dos cristãos despertavam suspeitas. Por conta disso, eles eram acusados de praticar atos considerados imorais e criminosos. Tais homens se reuniam antes do sol nascer ou à noite quase sempre em cavernas. Entre as acusações contra eles estavam canibalismo, incesto e até infanticídio como forma de adoração à sua divindade. Até mesmo a saudação com um beijo foi taxada como uma forma de conduta imoral.

Os cristãos da época também não aceitavam o fato de o imperador ser adorado como um deus. Para os romanos, se curvar diante do rei era prova de lealdade. Havia no Império inúmeras estátuas espalhadas pelos locais públicos para serem reverenciadas. Os seguidores da nova religião não faziam tal adoração, pois esta era prestada apenas a Jesus, o verdadeiro rei deles. Tal posicionamento os colocava como revolucionários ameaçadores diante de Roma.

O primeiro movimento de perseguição do Estado contra os cristãos ocorreu durante o governo de Cláudio, entre 41 e 54 d.C., quando o imperador mandou expulsar judeus de Roma porque estes discutiam entre si devido a um certo Cristo. Em geral, os romanos viam o cristianismo como um conjunto de práticas irracionais que magos e feiticeiros de personalidade sinistra usavam para enganar o povo ignorante.

ACUSAÇÕES INFUNDADAS

As chamas que consumiram uma parte significativa de Roma no ano 65 foram atribuídas pelo imperador Nero aos cristãos. A verdade é que essa foi a maneira encontrada pelo rei de tirar o foco dele, já que o povo o culpava pelo incêndio.

Nero, então, passou a perseguir, durante três anos, os seguidores de Jesus. Alguns historiadores dão conta de que os apóstolos Pedro e Paulo estavam entre os mortos na caçada.

O historiador Cornélio Tácito (54 a 120 d.C.), mesmo sendo um ácido crítico dos cristãos, acusou Nero de ter culpado os religiosos injustamente. Mesmo assim, ele declarava-se convencido de que os cristãos mereciam as mais severas punições, pois as superstições os levavam a cometer infâmias.

Portanto, os cristãos eram tidos como gente desprezível, capaz de crimes horrendos, como o infanticídio – os romanos acreditavam que, na renovação da Ceia do Senhor, quando se alimentavam da Eucaristia, os religiosos sacrificavam uma criança e comiam suas carnes – e o incesto – essa era interpretação que faziam do abraço da paz que se dava na celebração da Eucaristia entre "irmãos e irmãs". Essas acusações eram alimentadas pelas fofocas entre os populares e foram sancionadas pela autoridade do imperador, que perseguia os cristãos e os condenava à morte.

MAIS PERSEGUIÇÕES

Marco Aurélio (161-180) foi considerado um imperador erudito e filósofo. Em suas frequentes anotações, o rei mostrava um desprezo grande pelo cristianismo. Dizia que aquela religião era uma loucura, pois propunha à gente "comum e ignorante uma maneira de comportar-se que só os filósofos como ele poderiam compreender e praticar ao final de longas meditações e disciplinas". Para Marco Aurélio, a população comum não era capaz de praticar, por exemplo, a fraternidade universal, o perdão e o sacrifício pelos outros sem esperar uma recompensa.

Assim, o imperador atacou diretamente o cristianismo no segundo século. Decidiu proibir qualquer prática dessa religião, pois, segundo ele, oferecia perigo ao Estado. A situação dos cristãos, que já era complicada, ficou ainda mais difícil.

Diversas comunidades na Ásia Menor, fundadas pelo apóstolo Paulo, eram roubadas e saqueadas constantemente. Em Roma, o filósofo Justino e um grupo de seguidores de Jesus foram condenados à morte.

Intelectuais contrários ao cristianismo, como Marco Aurélio, Galeno (129-200) e Celso, rebatiam a doutrina. Para eles, a filosofia era o caminho único para a salvação do homem: "A 'salvação' da desordem dos acontecimentos, do aniquilamento da morte, da dor, só pode ser encontrada numa 'sabedoria filosófica' por parte de uma elite de raros intelectuais. Trata-se de uma loucura o fato de os cristãos colocarem esta 'salvação' na 'fé' num homem crucificado (como os escravos) na Palestina (uma província marginal) e declarado ressuscitado. É preciso eliminar os cristãos como transgressores da civilização humana".

Mais tarde, já no terceiro século, ocorrem anos de terríveis perseguições aos cristãos. Renasceu no período a caça ao cristianismo em nome da limpeza étnica. Como o Império Romano atravessava uma profunda crise econômica e social, os reis enxergavam que a única maneira de salvar a nação era voltar a uma linha de pensamento homogênea. Assim, os seguidores de Jesus deveriam ser aniquilados.

Entretanto, as perseguições sistemáticas mostraram-se ineficazes. Isso porque os próprios cristãos desprezavam as honras e muitos tinham como objetivo final morrer por sua causa religiosa. Além disso, a doutrina espalhada largamente por eles tinha conquistado a mente de muitas pessoas que foram relegadas por anos pelo Império.

IMPÉRIO CRISTÃO

O movimento de perseguição aos cristãos só terminou de vez em 321 d.C., após o edito de Constantino I, que garantia a liberdade de culto no Império Romano. A história que envolve o fim da caça aos seguidores de Jesus, contudo, começou alguns anos antes.

A partir do ano 306, com o fracasso do sistema de tetrarquia – o Estado dividido em quatro partes –, ocorre uma grande confusão na distribuição dos poderes em Roma. No Ocidente, porém, a eliminação de Maximiano e Galérico deixa em destaque somente Constantino, que acaba sendo proclamado "augusto". Maxêncio, filho de Maximiano, também recebe a denominação de "augusto".

Maxêncio habitava em Roma. Já Constantino, que fizera uma aliança com Licínio – imperador do Oriente –, estava na Gália. No ano de 312, Constantino utiliza supostos maus tratos infligidos por Maxêncio a seus súditos como pretexto para chefiar uma grande expedição com o objetivo de libertar a Itália.

A ação de Constantino era ousada, já que ele dispunha somente de 25 mil homens, enquanto seu oponente possuía cerca de 100 mil soldados. O seu exército transpôs rapidamente os Alpes, ultrapassando o desfiladeiro de Montgenèvre. Com isso, apoderou-se da cidade de Susa e a incendiou, o que abriu caminho para Turim. Nesta localidade, aconteceu a batalha mais violenta. O exército dos generais de Maxêncio, com seus temíveis guerreiros cobertos por uma couraça de ferro e montados em cavalos, tinha grande vantagem. Constantino, porém, utilizou uma tática que bagunçou o exército inimigo e conquistou importante triunfo. A vitória o ajudou a entrar majestosamente em Milão. Novos triunfos levaram os homens de Constantino em marcha até Roma.

Maxêncio, muito supersticioso, teria sido atormentado por pesadelos e maus presságios que o impediam de avançar contra o seu rival. Por influência dos magos de sua corte, decidiu assim mesmo enfrentar o adversário ao norte da cidade de Roma.

Em 28 de outubro de 312, Constantino tomou a iniciativa na batalha. O ataque lançado por ele desorganizou muito rapidamente o exército de Maxêncio. Uma parte dos homens dele se jogou no rio Tibre, enquanto a outra se refugiou em cima de uma ponte que, sem suportar o peso, se rompeu. Os soldados foram levados pela correnteza e o próprio Maxêncio morreu afogado.

Após o completo triunfo, Constantino foi acolhido em Roma como um verdadeiro libertador. Os seus soldados, que encontraram o cadáver de Maxêncio, seguiram o cortejo do vencedor, levando a cabeça do imperador morto espetada na ponta de uma lança, sob os aplausos dos cidadãos romanos. Com essa vitória, Constantino passou a dominar sozinho o Império Romano.

A partir disso, no ano 313, o imperador Constantino converteu-se ao cristianismo e permitiu o culto dessa religião em todo o Império. Quase oito décadas depois, a história se inverteria por completo. Em 391, o cristianismo não só se tornou a religião oficial de Roma, como todas as outras seitas pagãs passaram a ser perseguidas. Foi a partir desse momento que a igreja cristã começou a ganhar mais força e transformou-se em uma poderosa instituição.

Os patriarcas do cristianismo espalharam-se por toda a região dominada pelos romanos. Os patriarcados foram divididos entre as cidades de Alexandria, Jerusalém, Antioquia, Constantinopla e Roma. Por ordem do imperador, no ano 455, o patriarca de Roma passou a ser, a partir de então, a autoridade máxima de igreja, sob a denominação conhecida nos dias de hoje como papa.

No ano de 325, o imperador Constantino havia promovido uma reunião em Niceia com autoridades eclesiásticas para definir as principais crenças que deveriam reger a conduta dos cristãos. Esse acordo foi chamado de Concílio de Niceia e tornou-se um marco na constituição da religião. Outros encontros foram promovidos no futuro para alinhar a igreja doutrinariamente.

MÁRTIRES

Os cristãos condenados, conforme o historiador Tácito, morriam dilacerados por cães, crucificados ou mesmo queimados vivos com tochas que serviam para iluminar a escuridão quando chegava a noite. No governo de Nero, o imperador oferecia seus jardins para assistir a esse "espetáculo".

O próprio Tácito afirma em seus escritos que, com o tempo, crescia certo senso de piedade pelos cristãos, pois estes eram "sacrificados não em vista de uma vantagem comum, mas pela crueldade do príncipe".

12

A DECADÊNCIA DO IMPÉRIO

A PARTIR DO SÉCULO III, AS SUCESSIVAS INVASÕES ESTRANGEIRAS E OS CONSEQUENTES E IRRESPONSÁVEIS GASTOS COM O EXÉRCITO AJUDARAM A LEVAR A POTÊNCIA PARA A SUA DERROCADA

Viver ficou bem mais difícil para a maioria dos habitantes do Império Romano a partir do século III d.C. por conta de vários desastres combinados que criaram uma crise no governo e também na sociedade. Esse cenário, inimaginável alguns anos antes, deu início ao declínio da grande potência daquela época.

As frequentes invasões impostas por estrangeiros há diversos anos nas fronteiras norte e leste obrigaram os imperadores de Roma a aumentar consideravelmente o efetivo do exército. A ampliação das forças de defesa, no entanto, prejudicou as finanças imperiais, já que havia cessado o processo de grandes conquistas territoriais – que garantiam ótimas recompensas com o despojo – e, àquela altura, o exército só gerava gastos.

Para piorar ainda mais, a chamada economia não militar expandiu-se bem menos do que o necessário para contrabalancear. Em outras palavras: as despesas cresceram muito mais do que as receitas e o déficit fiscal no Império foi praticamente inevitável.

Essa situação incômoda gerou uma profunda crise na defesa nacional. Imperadores desesperados por uma arrecadação de dinheiro maior danificaram muito a economia romana e ainda desgastaram a confiança que as pessoas tinham na segurança. Tal ambiente incentivou generais ambiciosos a tomarem o poder por meio de seus exércitos pessoais. Isso levou a mais uma guerra civil, que durou décadas e desestabilizou por completo o governo imperial.

Detalhe no Arco de Constantino, em Roma, ilustra batalha entre legião romana e bárbaros

INVASORES

Bastante preocupados com a soberania nacional, os líderes de Roma vinham realizando campanhas para combater invasores desde o século I d.C., no reinado de Domiciano. Os invasores considerados mais agressivos eram os germânicos, bandos desorganizados vindos do norte que, muitas vezes, atravessavam os rios Danúbio e Reno para saquear as províncias daquela região.

Esses grupos começaram a fazer ataques que geraram muitas perdas durante o governo de Antonino Pio (138 a 161 d.C.) e elevaram ainda mais as suas investidas no reinado de Marco Aurélio (161 a 180 d.C.). As batalhas contra o exército romano ficaram mais constantes e isso permitiu que os germânicos se tornassem, com o tempo, melhor organizados militarmente.

Como estratégia para diminuir os estragos, Roma usou a arma inimiga a seu favor. Os imperadores passaram a contratar os combatentes germânicos como soldados auxiliares e os posicionavam justamente nas fronteiras para estancar o avanço de mais bandos invasores. O recrutamento de estrangeiros foi, no curto prazo, uma das principais alternativas da defesa nacional. O efeito colateral, entretanto, foi permitir que os alemães tivessem conhecimento de como era o confortável dia a dia romano. Isso aumentou a tendência desses bárbaros desejarem continuar no território do Império permanentemente. Importante ressaltar que esse movimento foi um prenúncio dos contornos territoriais da Europa na atualidade.

GASTOS

Por volta do ano 200 d.C., o exército romano cresceu de maneira bastante acentuada. Nesse período, segundo os historiadores, havia 100 mil tropas a mais do que nos tempos de Augusto. Estima-se que o recrutamento, no início do terceiro século, tenha chegado a quase 400 mil homens.

Mas, para manter todo esse contingente satisfeito, tornava-se importante providenciar o soldo regular, já que a carreira era bastante difícil. Além disso, era necessária uma quantidade enorme de suprimentos para essa verdadeira multidão. Em um forte temporário de determinada área de fronteira arqueólogos acharam, aproximadamente, um milhão de pregos de ferro, o equivalente a dez toneladas do material. Esse tipo de acampamento precisava ainda de 28 quilômetros de tábuas para as fortificações. Por fim, a estimativa é que equipar uma legião de 5 a 6 mil homens exigia o couro de 54 mil bezerros.

Não bastasse essa grande demanda de recursos, a inflação do período fez com que os valores de tais mercadorias subissem demais. Acredita-se que o principal motivo para a elevação nos preços tenha sido o período da "paz romana", que aumentou a procura por produtos e serviços da economia local.

Ao longo do tempo, alguns imperadores de Roma responderam aos preços inflacionados fraudando as moedas de prata emitidas em nome do governante, a forma mais importante de dinheiro oficial. A adulteração da cunhagem ocorria por meio do uso de menos prata na moeda sem diminuir o seu valor nominal. Dessa maneira, o governo comprava mais gastando menos.

Contudo, os mercadores eram espertos e dificilmente deixavam ser ludibriados. Eles subiram ainda mais os preços com o intuito de compensarem as perdas com as moedas adulteradas, o que gerou uma hiperinflação. No final do século II d.C., esse cenário conturbado provocou um déficit permanente na balança comercial do Império Romano. Mesmo assim, os soldados continuavam exigindo bons pagamentos. A situação encaminhou-se para uma profunda crise financeira no governo.

PIORA

Septímio Severo (145-211) e seus filhos Caracala e Geta foram os responsáveis por garantir a concretização da ruína econômica. Eles secaram os cofres públicos para satisfazerem os desejos dos homens do exército. Além disso, o trio era conhecido por seu perfil pouco ortodoxo nos gastos do tesouro, o que desestabilizou ainda mais o já combalido Império.

Muito experiente na área militar, Severo começou a lutar pelo posto de imperador depois do assassinato de Cômodo – filho de Marco Aurélio –, que gerou uma grande crise em solo romano. Ele precisou derrotar seus principais pretendentes ao trono em uma violenta guerra civil para tomar posse no ano de 193.

Em busca de recursos financeiros para o exército e glória para a sua família, o rei perseguiu arduamente o sonho da conquista de novas terras ao lançar campanhas para além das fronteiras orientais e ocidentais do Império na Mesopotâmia e também na Escócia. Porém, as expedições não alcançaram o lucro esperado e ele fracassou em sua tentativa de consertar o déficit no orçamento.

    Do outro lado, os soldados se preocupavam cada vez mais, pois a inflação corroía o poder de compra de seus salários para quase nada, principalmente com os descontos decorrentes dos custos de suprimentos básicos e vestimentas do soldo, segundo as antigas regulamentações do exército. Assim, as tropas aguardavam por uma compensação monetária (espécie de bônus) da parte do imperador para amenizar as perdas.

    Severo não só desprendeu estrondosas quantias para providenciar o dinheiro como ainda decidiu melhorar as condições dos soldados no longo prazo, elevando a taxa regular de pagamento em um terço. O considerável tamanho do exército romano naquela época fez com que esse reajuste salarial fosse muito superior ao que o tesouro nacional poderia suportar. Dessa forma, a inflação cresceu ainda mais.

    Mesmo diante de um ambiente econômico calamitoso, o Imperador não se preocupava nem um pouco com as gravíssimas consequências. Tanto é verdade que, em seu leito de morte, teria dito aos filhos: "Mantenham as boas relações entre vocês, enriqueçam os soldados e não prestem atenção em mais ninguém".

    O problema foi que os filhos dele seguiram apenas parte do conselho à risca. Caracala não mostrou estar tão disposto a ter uma boa relação com Geta e o assassinou para garantir o controle do governo para si. O reinado, reconhecidamente violento e libertino, acabou definitivamente com a paz e a prosperidade da Idade de Ouro da época imperial. Caracala subiu o valor do soldo em quase 50 por cento. Além disso, torrou uma montanha de

Ruínas dos banheiros públicos construídos por Caracala

dinheiro em construções colossais, sendo a maior delas uma sequência de banheiros públicos que se estendiam por incontáveis quarteirões da capital.

A extravagância do imperador nos gastos impôs pressão insustentável nos funcionários públicos das províncias na arrecadação de tributos e também, é claro, nos cidadãos, que eram obrigados a pagar impostos absurdos. Caracala conseguiu, assim, devastar qualquer possibilidade de recuperação da economia romana. O ambiente ruim foi a desculpa perfeita para o guarda-costas do imperador o assassinar no ano 217 para assumir o trono.

DESORDEM

Depois dos imperadores severianos, uma sucessão de problemas tomou conta do Império Romano e levou ao ponto máximo da crise no século III. Inicialmente, a instabilidade na política foi o efeito mais imediato da crise econômica. Por um período de quase 70 anos, uma quantidade grande de imperadores e postulantes ao cargo lutou arduamente pelo trono. Aproximadamente 30 homens assumiram o governo ou simplesmente o reivindicaram. Alguns "imperadores" chegaram ao poder até mesmo simultaneamente. O cenário era análogo ao anarquismo.

O terceiro século foi repleto de guerras civis que prejudicaram demasiadamente o povo e a economia. A falta de segurança atingiu o seu ápice. A hiperinflação prosseguiu e a vida ganhou ares de lamento na maior parte do poderoso Império. A agricultura jazia, uma vez que os agricultores não conseguiam manter a produção habitual por causa da guerra. Nesse período, os exércitos combatentes danificavam boa parte das plantações atrás de algo para se alimentarem.

Os membros dos conselhos das cidades enfrentavam obrigações cada dia mais elevadas de arrecadação por exigência dos imperadores, que se alternavam no poder com uma velocidade incrível. A total desordem administrativa fez com que as elites locais deixassem de apoiar as comunidades.

Não bastassem os problemas internos, mais inimigos estrangeiros se aproveitaram da fragilidade romana para irem ao ataque. A situação ficou realmente crítica quando o rei do Império Persa Sassânida, Sapor I, capturou Valeriano – governante entre os anos de 253 e 260 – na Síria, em 260.

Até o experiente imperador Aureliano – no poder entre 270 e 275 – sucumbiu à situação caótica e só conseguiu cuidar das operações iminentemente de defesa, casos da recuperação do Egito e da Ásia Menor das mãos de Zenóbia, rainha guerreira de Palmira, na Síria. Ele ainda cercou Roma com uma muralha de 17 quilômetros de comprimento para se proteger de ataques surpresa, sobretudo das tribos germânicas, que já se avizinhavam pelo norte. Ainda hoje, partes da construção, tais como suas torres e portões, podem ser vistas em diversos locais da capital da Itália.

TERREMOTOS, DOENÇAS E COLAPSO

Em meio ao fracasso administrativo romano, os desastres naturais. Os tremores de terra devastavam construções. As epidemias virulentas atingiam em cheio toda a região mediterrânea. Para piorar ainda mais, a procedência dos alimentos tornava-se menos confiável e também ajudava a deixar a população mais fraca e suscetível. As guerras civis aniquilavam soldados e civis.

O cenário colapsado deixou as áreas fronteiriças muito convidativas para os ataques estrangeiros. Os bandos errantes de ladrões também se faziam presentes dentro do Império à medida que as condições econômicas pioravam.

Os adeptos da religião tradicional politeísta passaram a crer que os deuses estavam contra eles. O motivo? Acreditavam que as divindades tinham se zangado por causa dos cristãos, que se negavam a adorar os deuses romanos. O ambiente já extremamente conflitante ficou ainda mais inóspito com a perseguição mais intensa aos seguidores de Jesus. O imperador Décio (governante entre 249 e 251) capitaneou ataques violentos contra os cristãos com o objetivo claro de eliminar o grupo.

O imperador Galiano (dono do trono entre os anos de 260 e 268) restaurou a paz religiosa e cessou a perseguição. Apesar disso, na década de 280, não havia como negar que o Império Romano encontrava-se à beira do abismo.

RESGATE

Um herói improvável. Assim Diocleciano podia ser considerado pelos romanos do final do século III. O rapaz da região acidentada da Dalmácia, nos Bálcãs, iniciou a carreira militar sem grande instrução. Mas a coragem e a inteligência fizeram com que ele subisse na hierarquia e, com o apoio do exército, foi declarado imperador em 284.

Conseguiu encerrar a crise do século III por meio de um governo autocrático, ou seja, baseado em suas próprias ideias. Com a adesão dos militares, foi reconhecido de modo formal como dominus (mestre) ao invés de "primeiro homem". O sistema de governo instituído a partir de Diocleciano passou a ser denominado Dominato, que consistia no poder absoluto do imperador. Isso eliminava qualquer possibilidade de autoridade compartilhada entre o governante e a elite de Roma. Os cargos de senador, cônsul e outros postos inerentes à República foram mantidos, mas faziam parte somente de uma fachada.

Uma característica do novo modo de governar era a escolha de funcionários a partir das camadas menores da sociedade, de acordo com a competência e a lealdade ao governante. Assim, foi interrompida a tradição de nomear administradores com origem na classe alta.

Além disso, os governantes do Dominato deixaram a tradição iniciada por Augusto de vestirem roupas simples e do cotidiano. Começaram a usar vestimentas com joias e coroas deslumbrantes. Como forma de mostrar a diferença entre o "mestre" e as pessoas comuns, no palácio, vários véus separavam as salas de espera do espaço interno onde o governador realizava as suas audiências.

No período, também foi desenvolvida uma estrutura teológica que visava legitimar o governo. Diocleciano, por exemplo, adotou o título Jovius, proclamando-se descendente de Júpiter (principal deus romano).

As palavras do imperador ganharam tons mais agressivos. Os imperadores do Dominato reafirmavam a autocracia na punição de crimes e no direito. A ordem vinda deles tinha força de lei e as assembleias da República não operavam mais como fontes de legislação.

NOVA TETRARQUIA

Mesmo com seu sucesso como governante, Diocleciano avaliava que o Império Romano era muito extenso para ser defendido e administrado através de um único centro. Diante disso, concluiu que dividir o governo em duas partes seria a melhor saída. Por meio de um processo arrojado, separou o território em Leste e Oeste. Na prática, criou um Império Romano Oriental e outro Ocidental, apesar dessa divisão não ter sido reconhecida de modo formal.

Após a primeira etapa de reforma administrativa, Diocleciano fez outras duas subdivisões – uma em cada região – e nomeou homens de confiança para uma espécie de governo de cooperação. Cada um controlava um distrito, sua respectiva capital e as forças militares. Para evitar quaisquer tipos de desavenças ou desunião, o líder mais graduado – neste caso específico, Diocleciano – atuava como imperador e deveria receber a lealdade do demais coimperadores.

A nova tetrarquia tinha o objetivo de conter o isolamento do governo imperial de Roma, que estava muito longe das enormes fronteiras do grande Império e dos problemas que apareciam nessas regiões mais afastadas.

Tais decisões foram históricas, já que a criação das quatro regiões fez com que Roma deixasse de ser a capital dos romanos depois de mil anos. Escolheu as novas capitais de acordo com suas utilidades como postos de comando militar: Milão, na região norte da Itália; Sírmia, perto da fronteira com o rio Danúbio; Tréveris, na fronteira com o rio Reno; e Nicomédia, na Ásia Menor.

Assim, a Itália tornou-se apenas mais uma seção do Império, em igualdade com as demais províncias e sujeita ao mesmo sistema de tributação.

REFORMA ECONÔMICA

O imperador também fez de tudo para reestabelecer o poderio da economia de Roma. Inicialmente, Diocleciano buscou restaurar a importância das moedas de prata e de ouro ao diminuir a quantidade agregada de ouro nas peças, mas mantendo o valor nominal. Além disso, colocou em circulação moedas divisionárias de bronze com uma fina cobertura de prata, que serviam para as operações do cotidiano e visavam facilitar o troco. Tal peça, contudo, foi depreciada e diversos comerciantes passaram a se negar a aceitá-la como forma de pagamento.

Nessa época, as casas de cunhagem precisaram ser ampliadas para poderem satisfazer as necessidades provenientes do comércio, da construção de obras públicas e da elevação do número de militares e civis.

O governante ainda impôs reformas tributárias para cobrar impostos diferenciados de acordo com as classes sociais. Para tanto, ele realizava um recenseamento do povo a cada cinco anos e, segundo os dados levantados sobre os seus bens, taxava o cidadão. Tais tributos eram, muitas vezes, in natura. Um exemplo era o agricultor, que pagava em grãos, vinhos, azeites e carnes. O pagamento em espécie, por sua vez, só era feito pelos negociantes e artesãos presentes nas cidades.

Os entraves na agricultura, aliás, precisavam ser solucionados brevemente, pois o setor era considerado como o fundamento da manufatura, onde se extraía da natureza a matéria-prima. A medida adotada por Diocleciano foi a ruralização, que nada mais era que o arrendamento das terras aos camponeses, agricultores e arrendatários, que deveriam pagar um imposto sobre a produção agrícola anual.

Os desenvolvimentos adequados da agricultura, comércio, pecuária e artesanato foram garantidos depois que diversos germânicos pacíficos foram agregados como agricultores ou soldados com o objetivo de defenderem a fronteira romana.

Já os plebeus presentes nos grandes centros urbanos passaram a ter uma representação política que refletisse a nova realidade econômica. Segundo a medida, eles deveriam continuar em suas respectivas profissões e transmiti-las aos descendentes. Também precisariam formar ou se associar a uma espécie de cooperativa que reunia os trabalhadores do mesmo ramo de atividade.

No ano de 301, Diocleciano iniciou o combate à hiperinflação ao lançar o Edito Máximo de Preços, que previa um limite de ganhos dos salários sobre a jornada de trabalho e um teto de preço para os produtos de consumo. Na Sicília, o Estado foi obrigado a fazer a regulamentação da produção agrícola dos cereais e da troca de mercadorias, impedindo que os lavradores comercializassem as suas colheitas aos chamados atravessadores. Assim, os compradores oficiais de Roma deveriam controlar a semeadura, realizar a fiscalização da colheita e monopolizar os transportes, dando ênfase à qualidade do desenvolvimento da produção e também do comércio.

O governo de Diocleciano ainda ficou conhecido por gerar inúmeras vagas de trabalho por meio de investimentos nas construções, ampliações ou reformas de viadutos, pontes, estradas, arcos triunfais, edifícios imperiais, aquedutos, obras públicas, circos para apresentações teatrais, abóbadas, entre outros projetos arquitetônicos.

Com a proposta de diminuir os custos dessas intervenções, foi usado como alternativa o concreto – que era um material mais barato – juntamente com os tijolos. Nas casas mais simples, eram utilizados ainda ladrilhos, pedregulhos e estuque.

Diocleciano instituiu como forma de lazer os banhos públicos, que chegavam a reunir até 3 mil pessoas. Os cidadãos de Roma se encontravam nesses locais para conversar em salões centrais refrigerados. Não eram somente lugares onde as pessoas simplesmente tomavam banho, como também havia bares, restaurantes, barbeiros, livrarias, bordéis, casas de massagem, lojas de roupas, espaços para prática de esportes, piscinas, área para exercícios de ginástica e salas aquecidas. Tratava-se de uma forma de empreendedorismo para fazer a economia romana girar cada vez mais intensamente.

Mesmo com o sucesso obtido em sua gestão, Diocleciano decidiu abdicar do governo do Império. No dia primeiro de março de 305, ele anunciou a decisão de deixar o trono durante uma cerimônia na região de Nicomédia. Ele retirou-se para a Dalmácia com o sentimento de dever cumprido.

CONSTANTINO

Os feitos administrativos de Diocleciano são incontestáveis. O imperador, porém, fez de tudo para ter o controle absoluto do governo. No ano 303, voltou a imprimir uma forte perseguição aos cristãos presentes no Império, destruiu suas igrejas, ordenou que seus textos sagrados fossem queimados e matou aqueles que se recusavam a participar dos ritos religiosos oficiais. Na realidade, o interesse dele não era religioso, mas buscava manter ordem no período, conhecido como a Grande Perseguição.

Já Constantino, que assumiu a vaga deixada pelo antecessor em 306, mudou a história religiosa – e consequentemente política – do Império ao se converter ao cristianismo. Era a primeira vez que um governante de Roma proclamava sua aliança com a religião. Constantino, aliás, adotou o cristianismo pelo mesmo motivo que Diocleciano o havia perseguido: na crença de que estava alcançando a proteção divina para o Império e também para si.

O imperador não fez de sua nova fé pessoal a religião oficial, mas decretou a tolerância de crença. A realidade é que ele não desejava atrair a raiva dos adeptos ao politeísmo, pois esses ainda eram muito mais numerosos que os cristãos.

Mesmo assim, fez grande força para promover o cristianismo por meio da construção da Basílica de São João de Latrão para que fosse a igreja sede do bispo de Roma. Ele ainda edificou outra enorme basílica dedicada a São Pedro. O prédio, concluído no ano de 349 d.C. após décadas de obras, foi um centro de adoração por mais de mil anos. No século XVI, acabou sendo derrubado para dar lugar ao prédio atual.

Constantino também devolveu todas as propriedades confiscadas por Diocleciano aos cristãos. Contudo, para não ter problemas com os não

Imagem mostra ruínas do antigo palácio de Diocleciano: imperador reergueu o Império no fim do século III

cristãos que adquiriram as terras em leilão, ordenou uma compensação financeira pelas perdas.

Mas o governo dele não foi composto apenas de benevolência para com os cristãos. Ele também investiu na construção de uma nova capital, entre os anos de 324 e 330. O imperador ergueu Constantinopla no lugar da antiga Bizâncio (atualmente Istambul, na Turquia) na foz do Mar Negro. Nesse novo projeto, Constantino decidiu colocar estátuas dos costumeiros deuses da cidade para não causar discordâncias com o tradicionalismo. Com esse comportamento, ele desejava manter a boa relação e não causar implicações políticas ruins e desnecessárias para o seu governo, que caminhava com bastante tranquilidade durante todos esses anos. Respeitar os costumes romanos foi um de seus principais lemas.

Lentamente, com o sincretismo religioso, o cristianismo ganhou espaço e tornou-se a religião oficial do Império Romano em 391, durante o reinado de Teodósio.

DIVISÃO DO IMPÉRIO

O plano de um governo tetrarca, instituído por Diocleciano, não vingou. Apesar disso, o princípio de divisão da administração rendeu frutos. Constantino travou uma intensa guerra civil no começo do reinado dele para alcançar um governo unificado e aboliu a tetrarquia por temer lideranças desleais.

No final de seu reinado, ele ainda relutava em admitir que o Império necessitasse de mais governantes. Mesmo assim, Constantino designou os três filhos dele como sucessores conjuntos. Porém, uma rivalidade entre os irmãos arruinou por completo qualquer possibilidade de manter a unificação. No fim do século IV, o Império foi formalmente dividido em duas seções (ocidental e oriental), cada qual com um imperador.

O tempo e as desavenças fizeram com que houvesse um distanciamento entre as duas metades. Constantinopla era a capital do Império Oriental e trazia qualidades importantes: estava em uma península fortificada e encontrava-se entre as rotas de comércio. Além disso, Constantino deixara a cidade equipada com fórum, palácio imperial e um hipódromo para corridas de bigas.

A geografia também determinou o local da capital do Império Ocidental. Em 404, o imperador Onório fez de Ravena – um porto na costa nordeste italiana – a capital permanente do Ocidente. Grandes muros a protegiam contra os ataques terrestres. Já o acesso para o mar evitava que ficasse totalmente privada de mantimentos se ocorresse um cerco. Mesmo assim, Ravena nunca alcançou Constantinopla em tamanho ou esplendor, conforme o historiador Thomas R. Martin.

A cidade de Roma, por sua vez, chegara a um triste declínio que a reduziria, com o passar dos anos, à condição do vilarejo empobrecido em que o antigo lar dos romanos começara há muito séculos. A pomposa localidade entrou em um processo de ruína.

MIGRAÇÕES BÁRBARAS

Os bárbaros levavam esse nome por conta da impressão que os romanos tinham dos habitantes do norte. O idioma, as vestimentas e os costumes diferentes os faziam parecer atrozes aos olhos dos moradores do Império.

Os bárbaros germânicos do século IV d.C., que formavam um grupo bem diverso etnicamente, migraram pela primeira vez para as terras romanas na condição de refugiados em busca de outro local por estarem amedrontados com os fortes ataques dos hunos. Estavam interessados na segurança e conforto garantidos pelo Império. No fim do século IV d.C., porém, a chegada de bárbaros tornou-se muito mais intensa. Esse povo foi escorraçado da terra onde hoje é o Leste Europeu, a norte do rio Danúbio.

Os bárbaros tinham pouquíssima expectativa de avanço como nação, pois não eram unidos política e militarmente. Nem mesmo um senso compartilhado de identidade possuíam. A única ligação que mantinham – ao menos uma parcela considerável deles – era a origem germânica dos muitos idiomas.

Os primeiros bárbaros germânicos a fugir pela fronteira até o Império Romano vieram a ser chamados de visigodos. Como andavam espalhados por conta dos ataques dos hunos, em 376, imploraram ao imperador oriental, Valente, que permitisse a eles migrar para os Bálcãs. Os visigodos foram autorizados sob a condição de que seus guerreiros se alistassem no exército romano na defesa contra os hunos.

No entanto, alguns gananciosos funcionários públicos de Roma, encarregados de ajudar os refugiados, acabaram explorando os bárbaros para obterem lucro. Assim, os germânicos foram enfraquecidos pela fome. Tais funcionários até mesmo os forçavam a vender alguns de seu próprio povo como escravos em troca de cães para comer.

Diante desse cenário, os visigodos revoltaram-se. No ano de 378, derrotaram e assassinaram Valente em Adrianópolis (atual parte europeia da Turquia). Mataram ainda dois terços das forças romanas. Sucessor de Valente, Teodósio I (governante entre 379 e 395) teve que renegociar o acordo com os visigodos, que conquistaram o direito de ficar permanentemente no Império, a liberdade para estabelecimento de um reino sob suas próprias leis e o recebimento de valores anuais do tesouro.

Sem conseguir cumprir o trato, os governantes do Ocidente começaram a forçar a ida dos bárbaros para a direção do Império Oriental. Os imperadores cortavam os subsídios aos refugiados e ameaçavam uma guerra total caso não fossem embora.

Mais uma vez, os visigodos responderam. Em 410, os bárbaros capturaram Roma e aterrorizaram a população local. Quando Alarico, comandante dos visigodos, exigiu o ouro, a prata, os bens móveis e os escravos da cidade, os romanos teriam perguntado: "O que ficará para nós?". "Suas vidas", teria respondido o general bárbaro.

Diante da grave situação, o governo do Império Ocidental concordou, em 418, assentá-los no sudoeste da Gália (atual território francês). Lá, organizaram um Estado e tornaram-se uma sociedade tribal ligeiramente democrática. O problema do Império Ocidental, contudo, estava só começando. As concessões feitas aos visigodos fizeram com que outros grupos bárbaros utilizassem a força para conquistar o território romano. Em 406, o bando conhecido como vândalos, também fugitivo dos hunos, atravessou o rio Reno. Esse volumoso grupo abriu caminho pela Gália até chegar à costa espanhola. No ano 429, 80 mil vândalos navegaram até a África do Norte, onde capturaram a província romana. Lá, se apropriaram de terras e do pagamento de tributos. Isso enfraqueceu ainda mais o Império Ocidental.

Em 455, saquearam Roma e destruíram o símbolo central da antiga glória do Império. Os vândalos também atrapalharam os planos do Império Oriental quando romperam o comércio no Mediterrâneo, sobretudo o de suprimentos alimentares.

Além disso, grupos menos numerosos se aproveitaram da desordem total causada pelos bandos mais expressivos para se apossarem de partes do Império do Ocidente. Entre eles estavam os anglo-saxões. Esse grupo, composto por anglos vindos da Dinamarca e saxões provenientes do noroeste da Alemanha, invadiu a Bretanha, na década de 440 d.C., depois que o exército romano foi convocado para defender a Itália contra os visigodos. Os anglo-saxões estabeleceram reinado na Bretanha ao arrancarem o território à força dos povos celtas indígenas e dos habitantes romanos remanescentes. No fim do século V, foi a vez dos ostrogodos, vindos do leste, instituírem seu reinado na Itália.

FIM DO IMPÉRIO OCIDENTAL

Vários comandantes do exército germânico foram chamados para ajudar na defesa da área central romana. Mas, no século V, alguns desses generais aproveitaram-se das lutas pelo poder entre os romanos que concorriam ao posto de imperador e se transformaram em mediadores com influência política na decisão sobre quem seria o governante da vez. Os germânicos, aliás, também podiam destituí-lo, o que reduzia o imperador romano a um mero fantoche nas mãos deles.

O último a ocupar o trono nessas condições foi um garoto de nome Rômulo Augusto. No ano 476, o comandante bárbaro Odoacro o depôs, mas foi piedoso por conta da pouca idade do rapaz e lhe deu uma pensão para viver em um exílio perto de Nápoles. O general germânico se autoproclamou rei independente e encerrou um período de cinco séculos de imperadores de etnia romana. Era o fim político do Império Ocidental.

Mesmo assim, Odoacro fez questão de manter o Senado de Roma e ainda os cônsules para mostrar certo amor pela tradição. Além disso, ele enviou embaixadores a Constantinopla para demonstrar reconhecimento ao imperador do Oriente e garantir apoio diplomático.

No entanto, Constantinopla desconfiou da atitude e decidiu contratar o rei dos ostrogodos, Teodorico, o Grande, para eliminar Odoacro. Ele fez o serviço, assassinou o intruso, mas traiu o imperador do Oriente. Teodorico criou o seu próprio reino germânico em território italiano e manteve o Ocidente sob o domínio ostrogodo até o final de sua vida, no ano 526.

Na mesma linha de pensamento de Odoacro, Teodorico desejava usufruir da vida mais luxuosa da elite imperial. Ele também queria manter as tradições do Império Romano para garantir status ao seu novo governo. Mais uma vez, o Senado e o posto de cônsul continuaram intactos. Cristão ariano, Teodorico seguiu o exemplo deixado por Constantino e adotou uma política de tolerância religiosa.

CALDEIRÃO CULTURAL

A ascensão dos bárbaros ao trono do Ocidente, destacada por historiadores como a grande transformação política da Europa na época – gerou profundas transformações socioculturais. Os habitantes recém-chegados ajudaram a criar novas formas de vida baseadas em uma mistura de tradições de diferentes partes.

O rei visigodo Ataulfo – governante entre 410 e 415 – foi um exemplo disso. Ele se casou com uma nobre romana e falou abertamente sobre a integração dos costumes diversos: "No início, eu queria apagar o nome dos romanos e transformar a terra deles em um império gótico, fazendo a mim mesmo o que Augusto fizera. Mas aprendi que a selvageria desregrada dos godos jamais aceitaria o governo da lei, e que Estado sem lei não é Estado. Sendo assim, escolhi com mais sabedoria outro caminho para a glória: renovar o nome romano com o vigor gótico. Rezo para que as gerações futuras se lembrem de mim como o fundador de uma restauração romana".

Contudo, os visigodos não demonstravam estar preparados para administrar o Império por conta das antigas tradições trazidas do nordeste da Europa. Naquela região, eles viviam em assentamentos pequenos cujas economias dependiam do cultivo de lotes diminutos, pastoreio e trabalho com o ferro.

As assembleias de guerreiros livres eram a única forma tradicional de organização política dos bárbaros. As funções dos líderes ficavam basicamente restritas a deveres religiosos e militares. Tribos e clãs, muitas vezes, sofriam conflitos internos e se hostilizavam violentamente. Assim, os reinos germânicos jamais se equipararam ao modo organizacional do antigo governo romano na Idade de Ouro do Império.

IMPÉRIO ORIENTAL

Do outro lado, os integrantes do Império do Oriente procuraram evitar as mudanças que alteraram por completo a metade ocidental. A integridade econômica e a união política foram as suas marcas nos séculos seguintes. Na maioria das vezes, os historiadores contemporâneos se referem ao Império Oriental como Império Bizantino, termo derivado de Bizâncio, nome anterior da capital.

Os imperadores em Constantinopla se valeram de força, diplomacia e subornos com astúcia para rechaçarem as migrações e as enviaram para o Ocidente (longe de seus territórios). Também bloquearam a agressão do reino sassânida na Pérsia ao leste e protegeram a rota das especiarias no sentido leste-oeste. Dessa maneira, os governantes do Oriente mantiveram, em grande parte, as tradições antigas e a população da região.

O último imperador oriental a tentar ressuscitar o antigo Império foi Justiniano (entre 482 e 565). Ele lançou expedições romanas para tentar suprimir os germânicos do Ocidente, mas tais campanhas serviram apenas para alimentar um sonho distante e esvaziar os cofres públicos.

A partir do sétimo século, os imperadores perderam enormes áreas de terra nos ataques violentos de exércitos islâmicos, mas ainda conseguiram manter o governo na capital por mais 850 anos.

13

A HERANÇA ROMANA

O DOMÍNIO SE ESVAIU COM O PASSAR DOS ANOS, MAS A INFLUÊNCIA DA ANTIGA POTÊNCIA ESTENDEU-SE NO DECORRER DOS SÉCULOS POR MEIO DO DIREITO, IDIOMA, ARQUITETURA E ARTES

As invasões bárbaras ao Império Ocidental nos séculos IV e V destruíram o domínio romano depois de séculos de uma plena preponderância. Entretanto, o que nem sempre nos damos conta, mas que fica claro quando prestamos um pouco mais de atenção ao nosso redor, é que a influência desse povo ainda está muito presente em nosso dia a dia. No início desse parágrafo está um bom exemplo disso: continuamos utilizando os algarismos romanos para nos referirmos a um determinado século.

Contudo, a herança de Roma vai muito além e está presente nas culturas ocidentais contemporâneas, sobretudo nas áreas jurídica e linguística. Não há como esquecer também o legado romano na arquitetura, engenharia e até mesmo no campo das artes. Não estamos isentos dele nem mesmo quando deparamos com nosso calendário diariamente.

Tais traços marcantes dessa civilização foram preservados muito por conta da instauração dos reinos germânicos. Essas populações absorveram profundos aspectos culturais romanos na Idade Média, quando dominaram a região do Império do Ocidente. Essas características foram ainda mantidas na Europa Medieval e, a partir do século XVI – o período das grandes navegações e dos descobrimentos –, passaram a ser difundidas por algumas regiões da Ásia, África e América.

LATIM

Se hoje podemos nos comunicar utilizando a língua portuguesa por meio da fala e também da escrita, devemos isso quase que exclusivamente ao latim, idioma da Roma Antiga. Depois da queda do Império do Ocidente e da invasão dos germânicos na Europa, o português foi uma das línguas que se originaram do latim. Os outros filhos do idioma são o francês, italiano, espanhol e o romeno.

O latim nada mais é do que uma língua indo-europeia. Ele teria surgido no século VI a.C., na região do Lácio, próximo à cidade de Roma. Além de tomar conta de todo o Império, foi adotado posteriormente pela Igreja Católica Apostólica Romana. No período conhecido como Idade Média, a maior parte das regiões utilizava o latim. Nos dias de hoje, nenhum país do mundo fala o idioma, mas, mesmo assim, muitos consideram que ele não está totalmente morto. A verdade, porém, é que poucas pessoas ao redor do planeta – a maioria, estudiosos de línguas antigas e religiosos – conhecem bem o latim.

O português foi o último idioma formado a partir do idioma. O poema "Língua portuguesa", de Olavo Bilac, faz essa referência de maneira bem clara: "Última flor do Lácio, inculta e bela. És, ao mesmo tempo, esplendor e sepultura. Ouro nativo, que na ganga impura. A bruta mina entre os cascalhos vela".

Já o alfabeto romano é utilizado até hoje na maioria dos países ao redor do globo. Até mesmo línguas que não são de origem latina (o alemão é um exemplo) fazem uso dele.

Também chegaram até nós os algarismos romanos, instituídos e usados na Roma Antiga. Entretanto, os utilizamos hoje mais para nos referirmos aos séculos. Sete letras maiúsculas compõem o sistema de numeração romana do alfabeto latino: I, V, X, L, C, D e M.

CALENDÁRIO ROMANO

Os calendários foram elaborados em muitas sociedades devido à necessidade de mensuração do tempo. Com o passar dos anos, esse mecanismo assumiu o papel de principal orientador da vida em muitos sentidos. Os integrantes de diferentes povos davam funções para determinados dias e anos. Ou seja, os calendários ganharam ainda um forte caráter cultural e estavam ligados também a aspectos como crenças e religiosidade.

Os calendários mais primitivos eram o hebreu e o egípcio. Os dois possuíam um ano composto por exatos 360 dias. Segundo alguns historiadores, por volta do ano 5.000 a.C., após várias reformas, os egípcios estabeleceram um ano civil de 365 dias, sem variação. O atraso aproximado de seis horas por ano com relação ao ano trópico, que dura em média 365,24219 dias, solares fez com que, de modo lento, as estações egípcias atrasassem. Já a introdução do primeiro calendário romano é atribuída ao lendário

A HERANÇA ROMANA

O calendário só chegou ao formato que conhecemos hoje na época do imperador César Augusto

fundador da cidade, Rômulo. A construção dele, aliás, se confunde bastante com a origem de Roma (753 a.C.).

Curiosamente, o calendário romano primitivo tinha apenas 10 meses e 304 dias. Nele, os quatro primeiros meses possuíam nomes próprios em homenagem aos deuses da mitologia romana (Martius, Aprilis, Maius e Junius). Já os demais eram designados por meio de números ordinais: Quintilis, Sextilis, September, October, November e December. É importante lembrar que se tratava de um calendário sem qualquer base astronômica, já que os períodos nele definidos não tinham relações com os movimentos solar ou lunar.

NUMA POMPÍLIO

Somente o segundo rei romano, Numa Pompílio (715-673 a.C.), estabeleceu um calendário baseado nos movimentos do Sol e da Lua. Com isso, o ano passou a ter 355 dias devidamente distribuídos em 12 meses. Como ele considerava meses com dias pares "azarados", decidiu tirar um dia de cada mês que tinha 30 dias. Ele, então, juntou esses seis a mais outros 50 e constituiu dois novos meses: Januarius e Februarius. Esse segundo – com 28 dias – foi dedicado a Februa, divindade que purificava os mortos. Os romanos ofereciam sacrifícios a ela para compensar as suas faltas durante todo o ano. Por conta disso, Februarius foi instituído como o último mês.

CALENDÁRIO JULIANO

Os romanos, porém, começaram a verificar a importância de coordenar seu ano lunar com o ciclo das estações. Para tanto, eles formaram um incipiente sistema solar-lunar, colocando em seu calendário, a cada dois anos, um novo mês, que ganhou o nome de Mercedonius. Esse novo mês tinha duração de 22 ou 23 dias. Desse modo, passou a existir um ano de 377 dias e outro de 378 entre dois anos com somente 355 dias. Ao considerarmos a média a cada quatro anos, constatamos que ela é de 366,25 dias, um dia a mais que o chamado ano trópico.

Tais intercalações do mês Mercedonius, contudo, começaram a ocorrer segundo os interesses políticos. Geralmente, os pontífices aumentavam ou diminuíam o ano de acordo com as suas simpatias com quem detinha o poder naquele momento. Essa situação trouxe tanta confusão que chegou ao ponto de o início do ano estar adiantado quase três meses em relação ao ciclo das estações climáticas.

Ao alcançar o poder em Roma, Júlio César decidiu eliminar o problema de uma vez por todas. O novo imperador destacou o astrônomo Sosígenes, da Grécia, para avaliar a caótica situação. O especialista concluiu que havia um adiantamento de 67 dias no calendário romano quando comparado às estações.

Assim, Júlio César deu ordens para que naquele ano de 46 a.C., além do Mercedonius, fossem instituídos ainda mais dois meses: um de 33 e outro de 34 dias, perfazendo um ano civil de 445 dias, o maior de todos os tempos. Esse ficou bastante conhecido como o Ano da Confusão.

A partir do ano 45 a.C., foi adotado o calendário solar ou calendário Juliano. Ele se desenvolveu por meio de um sistema que deveria se desenrolar por ciclos de quatro anos, com três períodos comuns de 365 dias e um bissexto de 366 dias. O ano bissexto tinha o objetivo de compensar as quase seis horas de diferença para o ano trópico. Mercedonius foi retirado e Februarius realocado como o segundo mês do ano. Como uma homenagem a Júlio César, o mês Quintilis passou a se chamar Julius.

CALENDÁRIO DE AUGUSTO

O calendário romano só chegaria ao formato usado ainda nos dias de hoje no ano 730 de Roma. Naquela ocasião, o Senado definiu, através de decreto, que Sextilis fosse chamado de Augustus, já que foi durante esse mês que o então imperador César Augusto colocou fim à guerra civil que assolava a população romana. Para que o mês de Augustus não tivesse menos dias que o de Julius (dedicado a Júlio César), o oitavo mês do ano passou a ter 31 dias. O dia em questão foi tirado do mês de Februarius, que ficou com 28 dias em anos comuns e 29 nos bissextos.

A alteração gerou outras mudanças. Para que não houvesse diversos meses na sequência com 31 dias, September e November foram diminuídos para 30 dias. Assim, October e December ganharam mais um dia e ficaram com 31. Mesmo sem muita lógica, essa distribuição dos dias e meses continua ainda hoje. O nome de cada mês foi apenas transcrito para os respectivos idiomas.

A HERANÇA ROMANA

Busto de senador romano: legislativo da Roma Antiga era composto por 300 patrícios

POLÍTICA

Apesar de o período imperial ter marcado definitivamente Roma como uma gigantesca potência, boa parte de sua história foi escrita sob o regime republicano. Do século VI a.C. até o ano 27 a.C., esse foi o sistema político utilizado como forma de administração. A expressão latina "res publica" significa "coisa pública". Assim, ao menos na teoria, tratava-se de um modo de governo ligado ao povo. Mas não a toda a população romana. Quem detinha o poder nessa época eram os patrícios.

O Senado de Roma, aliás, era formado por 300 patrícios e tinha como uma de suas funções eleger um cônsul para governar a República por um período determinado. Havia, abaixo dos senadores, as magistraturas, por meio das quais os magistrados exerciam diversas funções públicas. Ocorriam também as assembleias ou comícios. Eram três tipos: Curiata, Tribucínia e Centuriata. Essa última tinha maior importância, pois agregava os soldados, sendo um poder político dos militares.

As diferentes divisões e funções talvez tenham sido os maiores legados romanos para a política contemporânea. Um espaço territorial tão grande não poderia ser gerenciado por poucos e as diversas estratégias traçadas ao longo dos séculos – inclusive no período de Império – foram de fundamental importância para a manutenção da governabilidade.

Além disso, a época da República assistiu à luta das classes entre os menos favorecidos e os detentores do poder. O sistema daquele período possibilitou uma abertura para que os mais simples tivessem sua representação na política. Apesar das falhas na execução do sistema republicano, foi o momento em que o povo teve um pouco mais de voz ativa.

ECONOMIA

Alguns dos pilares da economia romana no período imperial eram a indústria artesanal e a mineração. As conquistas de outras terras ao seu redor fizeram com que Roma desse grande salto de uma economia agrária para uma mercantil, ou seja, o comércio como sistema soberano na área econômica.

Esse modelo foi amplamente difundido ao redor do planeta e hoje muitos países têm no comércio uma considerável fonte de rendimentos. Além disso, Roma instituiu o pagamento obrigatório de impostos como forma de sustento da máquina pública.

DIREITO

Os governantes de Roma precisaram criar alguns mecanismos para manter o imenso Império dentro de certa ordem durante os seguidos séculos. Para tanto, foram desenvolvidas leis que deram origem, posteriormente, aos códigos jurídicos. Nasceu, dessa forma, o direito romano, que foi utilizado como base pelas sociedades futuras do lado ocidental. Óbvio que tais normas e regulamentações sofreram diversas adaptações e também alterações no decorrer dos anos.

O direito romano foi dividido, basicamente, em três categorias distintas: direito público (leis voltadas aos cidadãos); direito privado (leis para as famílias); e direito estrangeiro. O código civil, bastante comum em nações do Ocidente nos dias de hoje, surgiu a partir do direito público.

Além disso, várias expressões da área jurídica usadas atualmente nas legislações de muitos países foram cunhadas no direito romano e, por esse motivo, são grafadas em latim, o idioma oficial do Império. Alguns exemplos: *habeas corpus*, *habeas data* (ação que assegura acesso do cidadão a informações relativas ele mesmo), *stricto sensu* (senso restrito), *juris tantum* (presunção de inocência), *vacatio legis* (prazo legal que uma lei tem para entrar em vigor), entre tantas outras.

O direito em Roma teve início no período de fundação da cidade (753 a.C.) e estendeu-se até a morte do último imperador, Justiniano, em 565 de nossa era. Nesses mais de 800 anos, o corpo jurídico romano estabeleceu-se como um dos mais importantes sistemas criados.

FASES DO DIREITO ROMANO

O desenvolvimento do direito romano no decorrer da história ocorreu em etapas bem distintas. Com isso, o processo jurídico passou por um constante aperfeiçoamento. O primeiro período do direito romano foi o Régio, que começou na fundação de Roma e prosseguiu até o século V a.C., já na época do regime republicano. Nesse momento, predominava um direito baseado no costume, tendo o direito sagrado diretamente ligado ao humano.

O período seguinte foi o Republicano, que vai desde 510 a.C. até o início dos tempos imperiais, em 27 a.C., com Augusto no comando da grande potência. Nessa etapa prevalecia o *jus gentium* (direito dos povos) no lugar do *jus fas* (direito sagrado). Era uma forma comum a todos os povos do Mediterrâneo. Na mesma época, também estavam em voga os conceitos "direito e justiça" e boa fé.

Já o período do Principado foi o do direito clássico, uma época áurea da jurisprudência, que vai do reinado de Augusto até o imperador Diocleciano, no fim do século III. Nessa ocasião, havia uma participação muito maior dos especialistas do direito – conhecidos como jurisconsultos.

Por fim, o direito romano viveu o período da Monarquia Absoluta, no século IV d.C., após o imperador Diocleciano. Esse regime continuou até a morte do imperador Justiniano, no século VI. Foi o momento do direito pós-clássico, marcado pela ausência de grandes jurisconsultos e pela adaptação das leis em face à nova religião oficial, o cristianismo. Nesse período ocorre a formação do direito moderno, que começa a ser codificado a partir do século VI por Justiniano.

ENGENHARIA E ARQUITETURA

Um dos principais ganhos proporcionados por Roma foi o desenvolvimento de variadas técnicas arquitetônicas e de engenharia para a construção de grandes edifícios, palácios, basílicas, estádios, anfiteatros, além de prédios públicos. Os romanos demonstraram uma eficiência tão grande que muitas edificações daquela época chegaram até os dias de hoje.

Os aquedutos, por exemplo, deixavam a paisagem romana ainda mais atraente. Essas construções – espécies de grandes pontes com colunas de pedra e arcos – eram responsáveis pelo transporte de água às cidades. De tão sólidos que eram, alguns ainda se encontram em uso, como os aquedutos de Espanha, construídos nos tempos do imperador Augusto.

Pode-se dizer ainda que as cidades romanas tinham um plano urbanístico perfeito que era estruturado a partir de um traço de ruas retas que se cruzavam de modo perpendicular. Esse modelo urbano de Roma se impôs em todos os locais que abrangiam o Império, com foros, arcos de triunfo, termas e templos.

As estradas eram outra especialidade dos romanos. Tais vias ligavam a capital às inúmeras províncias que estavam sob o seu controle. Elas possibilitavam um rápido transporte de mercadorias e foram fundamentais no desenvolvimento econômico do Império.

Toda a técnica para o desenvolvimento dessas edificações foi amplamente usada pelas sociedades que vieram na sequência. Até mesmo o estudo da física (aplicada à engenharia) avançou. Com isso, a influência romana está presente em prédios, casas e igrejas nos dias atuais.

ARTES

Os romanos foram fortemente influenciados pelos gregos também no campo das artes. Entre as mais profundas características vindas da Grécia que chegaram a Roma estão a reprodução do corpo humano e de elementos da natureza de modo real.

Apesar de ter sido deixado de lado nos idos da Idade Média, o realismo em esculturas e pinturas acabou por ser resgatado no período do Renascimento e foi preservado por diferentes correntes e escolas de arte posteriormente.

As primeiras esculturas romanas foram desenvolvidas, na verdade, por gregos e também orientais que viviam em Roma. As formosas estátuas de César Augusto e de seus auxiliares chegaram até a época atual. Já a arte do camafeo – que consistia em ressaltar determinada figura em uma pedra semipreciosa usando as veias da pedra e as cores das diferentes camadas – chegou ao seu ápice no século I do Império Romano.

Os relevos pictóricos, por sua vez, receberam novos elementos. Eles ganharam profundidade com a introdução de paisagens. Por outro lado, no relevo histórico, os artistas esculpiam cenas de momentos importantes. Os principais exemplos são as conhecidas colunas dos imperadores Trajano e Adriano.

Durante a República, o retrato foi o gênero mais cultivado. Ele vinha apresentado em forma de bustos e também de estátuas equestres. Na época do imperador César Augusto, produzia-se imagens apenas até o pescoço. Porém, no século I da era cristã já se fazia peças até a metade do peito. Com o tempo, o retrato distinguiu-se pelo realismo sóbrio.

Se as estátuas tiveram grande relevância, a pintura romana não deixou um legado profundo, ficando mais como uma função decorativa da arquitetura. Importante ressaltar que não são muitos os resquícios desse tipo de arte que chegaram até o Ocidente. Mesmo assim, a pintura foi trabalhada em três superfícies principais: o livro, o muro e a tabela. Os grandes murais surgiram por meio, principalmente, da decoração de igrejas. Por fim, os mosaicos tiveram um espaço bastante acentuado em Roma, tanto na decoração de muros quanto na pavimentação do chão.

ENRIQUECEDORES

Os gregos são muito mais conhecidos pelo gênio intelectual e criativo na Antiguidade. Contudo, mesmo não alcançando tal capacidade criadora, os romanos conseguiram assimilar, enriquecer e difundir a herança helênica pelo Ocidente. Dessa forma, a tradição cultural greco-romana nunca se perdeu por completo, como pode ser verificado no período da Renascença. O legado de Roma está presente em incontáveis disciplinas e o modelo de organização do Império fica como uma verdadeira lição para nós ainda na atualidade. Sendo assim, não há qualquer dúvida de que nossa sociedade não chegaria ao nível de crescimento e amadurecimento cultural sem o auxílio dessa importante sociedade que estabeleceu o seu poderio no mundo antigo.